然后，我就一个人了

〔日〕山本文绪 著
李洁 译

南海出版公司

新经典文化有限公司
www.readinglife.com
出　品

目录

1 自序　我想一个人

5 然后，我就一个人了

161 特别纪行随笔
Namaste，久美子
八十一岁的印度和尼泊尔之旅

173 四年后的我　二〇〇〇年春

189 然后，我不再喝酒

自序

我想一个人

三十二岁，我终于开始一个人生活。

十五岁以后，很长时间以来我都在祈盼能一个人生活，然而受各种事情的阻挠，有时又缺少金钱与勇气，又或是结婚嫁作了人妇，这愿望一直未能实现。

而到了这个岁数，我发现无法一个人生活的理由一个都没有了。

虽然迟了些，我终于可以宣告独立。

我觉得离开父母生活，未必就是自立必需的条件。

一直和家人生活在一起，只要没给他们添麻烦，就不是什么不好的事。

但我想一个人。

一直一直这样想。

去独居的女朋友家玩时，或是第一次真正有了恋人时，父母对回家时间很有意见，我觉得好烦啊。

成人后经济上得以自立，但在恋爱和结婚等满心都是幸福的时候，脑中的某个角落还在想着要一个人。

现在，不知该说是天谴，还是愿望实现，我离婚了，成了一个人。

这在二十年前应该算得上重大事件吧，但如今已毫不稀奇。

为何如此祈盼“一个人”，其实我自己也不是很清楚。

但也许正是因为不清楚，才想要一个人生活看看吧。

一个人生活果然寂寞，独居久了的人也许觉得这话太可笑，不过这可是我的切身体会。

虽然寂寞有时真的很痛苦，但很多时候却会因寂寞而快乐。

也许有一天，我会再次渴望步入新的烦扰。

但现在，和谁都不说话看一整天的书，或是呆呆地晒着太阳，又或是耐不住寂寞给朋友打打电话，这样的每一天我很满足。

一九九六年，就是这样的一年。

然后，我就一个人了

【一月】鱼久的酒糟腌鱼和劳动热情

一月四日

看书一直看到凌晨，醒来已是下午。穿着睡衣，懒懒地看起晨报和贺年卡来。

去年难得一下出了五本书，似乎让以前的朋友想起了我，很多老朋友寄来了贺卡。大家都已结婚生子，看着他们寄来的全家福贺卡，虽然并不是希望自己也会如此一家和美，却还是觉得就我一个人脱离正轨，落在了大家的后面。心里隐隐作痛。刚看完晨报，就传来晚报投进邮箱的声音。

肚子饿了，把别人送的岁末礼品——鱼久店[1]的酒糟腌鱼烤了吃。

晚上，开始写月刊上连载的短篇。对着文字处理器埋头到清晨，肩膀酸得难受起来，忍不住低声叹道，谁来给我揉揉肩吧。

一月六日

去美容院。

---

①鱼久店，日本著名连锁餐饮老店，兼售腌鱼等副食品。

这家店比别家略贵些，但能把我这头一旦不管很快就乱蓬蓬的头发打理一下，倒也省心。而且，这家比我以前去过的任何一家揉肩都揉得用心。

肩膀一酸到恶心我就会去美容院，不过想来也许去做按摩更好吧……

可要是用钱就能享受到这般的热情（?），我会拼命工作。我由衷地想。

没什么精神做饭，买了寿司回家。

干到凌晨四点，写完了短篇。

一月七日

稿子寄出去后，洗衣服，彻底打扫房间。在窗明几净的小屋里熨烫攒了一堆的衣服，之后去了商店街买吃的。

一股脑儿买了很多青菜和肉，肉分成小份冷冻起来，青菜也是能冷冻的焯水后放进冰柜。圆白菜和黄瓜为了保存时间长一些，用盐揉了一下。

开心无比。我现在，太爱做家务了。

开始一个人生活后，我越来越爱家务活了。清扫、洗衣服、做饭，一点都不觉得麻烦。我的想法很简单：自己想吃什么就做什么，多幸福啊！

但结婚前还和父母一起住时，我一点都不喜欢家务。洗碗洗得不情不愿，也从来没为家人做过饭。讨厌收拾房间，洗和晒衣服还好，最烦收衣服叠衣服，熨斗更是连碰都不想碰。

之后我结了婚，但也不是从那时起爱上家务的。

新婚时，还算和别人一样勤快，可一转眼就烦了。我做饭做得不好，常惹来抱怨，而清扫房间、洗衣服、熨衣服这些，虽然迫于需要也做了，却从没觉得是一种乐趣。

可开始一个人生活后，我却发现做家务实在是太有趣了。这念头连自己也大吃一惊。

我想，这或许是因为做家务不再是一种义务了吧。

结婚时我觉得，家务这东西一人份和两人份差不了多少。从量上看也许的确如此。洗衣服有洗衣机，晒衣服花的工夫也差不多。收拾家也是，不管是一个人住还是两个人住，花的工夫是一样的。

但一个人后我才发现，一人份与两人份相差悬殊。

单拿做饭来说，有人一起住时，总会不自觉地做他爱吃的。不够吃又觉得挺愧疚，就总多做些。可做多了怎么都会剩，剩的东西又不好扔掉，只能第二天我吃。这样一来，我总是、总是在吃自己不怎么爱吃的，而且还是剩的。

这几年回父母家吃饭时，我尽量不再吃新做的米饭，而是吃保鲜盒里前一天剩下的。因为到了这个年纪我才发现，原来妈妈一直这样做。

开始一个人生活后，我只做自己想吃的。爱吃的东西就算剩下，第二天吃也不委屈。没有精神做饭时就在外面吃。我平常晚饭就吃得很少，三天里还有一次不想吃的时候，但和人一起生活就很难坚持自己的想法。

不过结婚期间，以前不会做的饭菜基本上都会了，罩衫和衬衣之类现在也能熨得很平整。

收拾房间也是，不是我弄脏的让我来收拾，总忍不住生气。若是自己弄脏的，打扫起来也就无所谓了。

这样似乎很自私，无奈事实就是如此。但有错的不是一起生活的那个人，而是非逞强说一人份两人份花工夫差不了多少的我。也许有人会说，别光做他爱吃的，也做点自己喜欢的不就得了。收拾房间和洗衣服也如此，使劲抱怨，让他来做就好了。

但是，我讨厌和人抱怨，那会让我觉得很悲哀。我想要没有怨言地生活下去。为此还是一个人好，因为我不会和自己抱怨。对自己严厉还是温柔，都是我的自由。

如今做家务就和洗完澡后的梳妆打扮一样。为自己涂营养霜、吹头发很快乐,为了让自己生活得清洁舒适而劳动,也同样开心无比。

不过，或许是因为我一个人生活的时间还短，才会这么说。

也许有一天，这只为自己做的饭菜，会让我觉得很空虚。

一月九日

来到涩谷，有两件工作上的事要商谈。

本想再顺便看场电影，可天太冷了，赶紧回了家。

空调和电暖气都开到最大，还是冷，早早上了床。

鱼也快吃够了，但眼看就要过期，所以今天也是烤鱼久店的酒糟腌鱼吃。

一月十日

写长篇竟写到天色大亮。工作到清晨不是因为我多么勤奋，只是开始的时间晚而已。

天一亮乌鸦就大声叫开了。横滨的父母家那儿，每天清晨麻雀都吵得不得了，可目黑区好像没有麻雀。同样是鸟，为什么乌鸦的叫声会如此有杀戮之气呢。

一月十三日

和朋友惠姐一起庆祝新年。

机会难得，约了个早点的时间，一起到明治神宫去新年参拜，还到涩谷逛了特卖会。

惠姐想买套装，说款式和料子在脑中已经详细勾画过，但找不到那么可心的，便什么也没买。我反而因为事先什么也没想，没经住诱惑，最后买了件夹克。

但是，女人为什么一买新衣服就如此开心呢。

我从孩提时起就超级爱买东西，每个月少得可怜的零用钱不说，连压岁钱也毫不吝啬地全搭在了里面。

那时，我把钱都花在了文具或徒有可爱外表却根本没用的小物件上。上大学以后才开始用自己的钱买衣服。当凭自己的力量打工挣到的数目完全有别于父母给的零用钱时，我觉得世界从此改变了。

以前要靠讨妈妈的欢心、反复恳求才到手的衣服，现在想买就可以买。我唏嘘不已，世上居然还有这么开心的事。

不过做学生时能挣到的钱毕竟有限，我对物质的渴望是在成为白领后爆发的。

上班后一直住在家里，不用担心房租和生活费，而将来的事更是一丁点也没考虑过，就从没有存钱的念头。我把工资和奖金几乎全花在了衣服、鞋子、包还有饰品上。

现在一想直叹气，那时自己还真能每个月都无止境地乱花钱。三年白领时代花掉的钱，要是攒下一半，不，哪怕就三分之一，后来会减轻多大的负担呢。

但当时的我岂会明白。那个时代正是泡沫经济的鼎盛期，买东西全无罪恶感，一想到只要在公司工作，就永远能买到想要的东西，我幸福极了。我从没想过，在不久的将来自己竟会觉得这是一种不幸。

是的，有一天我感到十分空虚，那天比我想的来得更早。

总在买衣服，可再怎么买身体就一个，而且流行趋势迅猛地从面前逝去。因店员推荐“能穿一辈子”而买的死贵的皮衣，很快就过时再也穿不了了。即便每个季节花光工资买齐了全套衣服，能穿去的地方也只有公司（况且公司还有制服），夸奖自己的也只有女同事而已。

我发现这一切从根本上大错特错。公司的工作净是些谁都能干的杂活，毫无创造性。反过来说，不用你特别做什么，照样能拿工资。一切都和从父母那里拿零花钱没什么两样。

到手的钱转眼就花完，过后又什么都没剩下。找到了空虚的原因，我不禁悲从心生。

我开始想做点能实实在在留下的工作，于是写起了小说。小说获得新人奖，我便辞掉了工作。之后收入锐减，连生活费都很困难。我已无法再拿奖金去买冬季新款的大衣。

但不可思议的是，购物的乐趣却丝毫没变。没钱那就去买便宜东西好了。虽然总体说来价格贵的东西肯定质量也好，而物美价廉的需要费番工夫才能找到，可恰恰因此，收获的喜悦也更大。

胳膊一伸进新衬衫的袖子，整个人就感觉如获新生。白领时代那种甚至可以说是不正常的、接二连三对新衣服的渴望，一定是因为那时的我厌恶自己。找不到想做的事，没有目标，只会一而再再而三地乱花钱。也许是厌恶这样的自己，我才至少想让外表常换常新。

流行会逝去，身体也只有一个。现在买新衣服，我却一点都不感觉空虚。因为那钱不是别人给的，而是自己实实在在挣来的，即便是明显的浪费，我也很快乐。

买件衣服就能如此开心的话，我多少活儿都会干。现在的我很坦率地这么想。

晚饭和惠姐两个人吃了泰式火锅。

体贴的惠姐很自然地帮我撇掉火锅里的浮沫。

打扮漂亮人又热情，声音还那么温柔，坐在她的身边可真舒服，我不由得接受了这番好意。

一月十四日

一直在赶稿子。

晚饭用买的“炒饭料”试做了炒饭，有些难吃，吃到一半就放弃了。都怨自己，可心情还是糟透了。

半夜肚子饿，吃了名叫“桃太郎”的西红柿。西红柿很好吃。

一月十五日

去买隐形眼镜。

我已经戴了十五年隐形眼镜，多年来一直都是睡前摘下来，放到护理液里清洗，每周一次煮沸消毒。本以为这样的隐形眼镜护理人生会永远继续下去，但今年我解放了！

因为我下决心要将隐形眼镜换成抛弃型。

这种隐形是一周的连续佩戴装，睡觉也好醒着也好在眼睛里戴着就行，一周后摘下来扔掉。它好像不适合眼泪量少的人，但医生说我目前还没什么大问题。

不过一次只卖三个月的量，得一趟一趟去买，但想一想，以前眼镜买了就买了，从来不去做检查，现在则必然要定期检查，这样也许更益于眼睛健康。

价钱果然很贵。但要是用钱就能买到这么方便的东西，我会拼命工作。我再次强烈地抱定想法。

一月十七日

傍晚的约会忽然取消，临时决定去健身。

晚上想买白菜和猪肉做汤，回家路上顺便去商店街买东西。

从我的小屋徒步两分钟就是健身会所、图书馆和商业街，特别方便。但我发现,有时连着一两周自己都没走出这个两分钟的圆圈。

今天也没从圆圈里走出去。

一月二十一日

一直是自己做饭，忽然想吃点垃圾食品。

午饭在 7-11 便利店买了烤肉便当吃，晚上叫了外卖比萨。

以前的外卖比萨只有大号，现在一个人吃的小份也有了，正适合我。本来光点比萨就够了，可一想到大冷天里只让打工小弟来送一个小比萨，实在是过意不去，结果又点了薯条和沙拉。

一想到今天一共摄入了多少卡路里，就觉得有点恐怖。

想晚点睡消耗些热量，一直熬到天亮。

一月二十四日

后天要去香港玩，赶紧把着急的活赶完。

这份工作最大的优点在于喜欢什么时候休假都可以，只是休假的前前后后，必定会因此焦头烂额、痛苦不堪。

算了，要去玩四天呢，没办法了。

鱼久店的酒糟腌鱼终于吃光了。

一月二十五日

手忙脚乱地处理工作，匆忙地准备旅行，晚上又赶到新宿商量事情。

角川书店的H君带我去了井伏鳟二[1]常去的日式火锅店，坐在井伏鳟二曾坐过的让人惶恐的位子上吃了牡蛎锅。

想多喝点酒，但明天便是香港之行，还是很知趣地回了家。

一月三十一日

四天的香港旅行归来，顾不上休息又连忙赶工。

香港我是第一次去。人比预想的还多，街上熙熙攘攘。这次是跟团旅游，天数又少，也许只是走马观花，但没少在街上转悠，我想还是感受到了这所城市的氛围。

我们完全不懂广东话，但大家都是东方人，也没什么陌生感。在地铁站台，我正一个人站着发呆时，忽然有个香港阿姨来问路，吓了我一跳。好像我的样子很容易给人机会,在日本就常有人问路，宗教人士也爱和我搭话（却从没有陌生男人搭讪）。

这回是四位女士一起出行。开始本来计划男女都约些，多点人一起去，但考虑到购物时男人怎么办，觉得太麻烦，最后决定还是只有女人同行。

在日本我就爱买东西，来到国外更是欢呼雀跃。名牌我也爱，但香港的名牌不是特别便宜，就没看。当地品牌的衣服、点心、化妆品还有小物件等挺便宜，买了很多。

---

①井伏鳟二，日本作家，代表作有《山椒鱼》、《黑雨》等。

惠姐买了漂亮的红色唐装上衣和龟苓膏，阿柏买了两件大衣和增强记忆力的中药，香川买了化妆品和魔法文胸，我则买了带有饮茶图案的手表和马海毛两件套毛衣，花了两千日元。

我们吃了昂贵的鱼翅晚餐，那自然是美味，但还光顾了一个藏身奇怪小巷的路边摊，那儿的面和点心超级好吃。路边摊的大叔只懂广东话，我们则根本看不懂菜谱，哇哇一通乱点就吃上了东西，太厉害了！价格还便宜得惊人，真不错！

平时我都是一个人寂寞工作，偶尔和大家一起待上几天，感觉身心愉悦。

我这人没什么体力，在旅途中常会身体不适，所以累了也不逞强，尽量一个人休息。这次身体状况也就二级[①]水平，让大家担心了。

不过旅行真好啊！我会晕车，会便秘会弄坏肚子，爱发烧总给人添麻烦，可还是觉得旅行开心！无论一个人去，跟男人去，跟女人去，又或是很多人一起去，也无论去的国度是寒冷还是炎热，是安静还是喧嚣，更无论是住高级酒店还是便宜的家庭旅馆，我都乐在其中。

男人也好女人也罢，一旦喜欢上这个人，我就想和对方去旅行。即便不是在谈恋爱，我也觉得和喜欢的人去旅行或许是人生最大的快乐。

为此，我会努力工作，无论削减多少睡眠时间。

下次旅行，准备和妈妈两个人去阿拉斯加看极光。

---

①日本一种身体健康状况调查，共分三级。

【二月】冬日的起床时间和琐碎工作

二月二日

正午十二点整起床。

天可真冷！只不过去了趟附近的邮局，浑身都冻透了。去公司上班的人太了不起了！电暖气开到最大，在屋里待了一整天。

最近工作很忙，这本是好事，但读读与工作无关的喜欢的书或发呆的时间却被削减掉，伤心。

应邀为某位作家的文库本写书评，读那本书稿。

现在正在写一部全新的长篇小说《恋爱中毒》，但一有书评、短篇小说或随笔等琐碎的工作，总会优先去做，所以长篇的进展极其缓慢。

明知道这样不行，但一天就二十四个小时，其中能集中精力写稿的时间又有限，也没办法。只能一点一点地干了。

二月三日

要去见惠姐，努力在上午起了床。

到重新布置过更加亮堂的惠姐家做客，被招待了午饭。

送了惠姐生日礼物还有旅行的照片，两个人大白天就喝开了啤酒。不出所料，回到家倒下就睡，直到夜里。

二月六日

好久没回横滨父母家了，回去住了三天。

一个人生活很开心，但不能养小动物这点却让人感觉很寂寞。

比较频繁地回父母家，是为了看我养的猫咪小球。不过最近就算我回来了，小球也是在父亲膝上甜甜地睡觉，瞅都不瞅我一眼。

“连是谁把你拣回来的都忘了！”我抱怨道，结果被妈妈说了一顿，说小球听了会受伤的。

我正在房间里赌气，小球跑来问候我。抱起它，和它贴贴脸，“你可真可爱啊，啊啊可爱，全世界最可爱。”我总说“可爱可爱”，所以小球好像以为自己名字叫“可爱”，叫它小球无视我，但要叫“可爱”就会回过头来。

看我这样，妈妈总发火说：“你太惯着小球，都把它给惯坏了！”仔细想来，正是妈妈最把小球当人对待。

我们家所幸从妈妈开始都喜欢小动物，我儿时起家里就一直养着宠物。

小学时家里有狗，狗死后养过十姊妹鸟呀、八哥呀、乌龟呀、金鱼呀、仓鼠呀等等。自我上大学那年捡回小球，全家就颓废地爱上了猫咪，甚至还下了点诱饵，把一只野猫也变成了我们家的猫。

现在才发现，我家饲养过这么多宠物，可没一次是花钱买的。

金鱼是在夜市的捞金鱼游戏中捞来的，严格说是付了钱的。不过狗和猫咪都是捡来的，十姊妹鸟和八哥不知是从谁家逃出来后被我们在院子里捉住的。乌龟说起来难以置信，也是有一天忽然出现在院子里，便捕回来当了宠物。两只仓鼠则是哥哥把中学社团（叫什么科学研究部）里养的擅自拿回家的。

金鱼、乌龟、十姊妹鸟还有仓鼠都很可爱，但宠物还是个头再大一点更惹人疼爱。金鱼摸不得，乌龟摸起来冷冰冰的，十姊妹鸟和仓鼠稍不留神就繁殖得几近恐怖。

这点还是猫咪好。摸起来很舒服，又不像狗狗的毛有味道，可以搂在被窝里一起睡，而且也不用带它去散步，它自己就去了。我们家还是放养状态，猫咪便便和嘘嘘都在外面解决，不用管它上厕所。

猫咪最好的地方还是模样可爱。睡觉的样子让人感觉真妩媚啊。洗脸的动作，还有凑过来和你贴脸的动作，都可爱得几乎让人觉得不属于这个世界。

当然也会有难题，比如家里到处是毛，家具被用来磨爪子，不分地方吐毛球和在外面吃的杂草。有时还会带回让人头疼的礼物。小球小时候带回来的就有蜥蜴、蟑螂、麻雀、鸽子、鱼肉饼、金鱼、八哥等等。鸽子之前的就当没问题吧，可鱼肉饼之后的会导致邻里关系恶化，所以全家决定一起保守秘密。

现在很多人把猫咪养在公寓的房间里，一辈子都不放出去，如此便不会有这些担心吧。起初我觉得这种公寓猫很可怜，但看过动物学的书才得知，猫咪只要有食物和可以放松的空间，即便在公寓的一室度过一生也丝毫不会感到痛苦。不知道外面世界的猫咪，养到半大再把它放出去，反而会很不适应。

现在的生活里，我还没有一个人养猫咪的勇气，不过有一天小球要是老了、没了，我想我绝对还会养的。

把猫咪放在腿上，和它一起打个盹贪睡时，我真觉得再没有比这更安逸的时候了。即便猫咪什么都没在想，它身上也有种东西能为人疗伤。

在父母家住的两天，写稿写到凌晨，起来都下午一点了。猫咪也钻进我的被窝一起懒懒地睡着。

以前一直睡着不起会被妈妈叫起来，但现在妈妈已经什么都不说了。儿时觉得妈妈很吵，现在她不再吵了又有些寂寞。

拿了非让我拿的白菜和红茶（说是家里多的）回到了目黑。

二月七日

起来已是下午两点。

发现房间里都是灰，用吸尘器吸了一遍。

扫着扫着不由得想给房间换换样。知道不是弄这些的时候，但还是把床和台灯的位置调换了一下，结果很是不错，开心。

房间略微新鲜了些，又想买新床罩，把千趣会、日泉还有MUTOU的商品目录从头翻到尾，不觉已是清晨。

二月八日

没有明确的缘由，就是消沉。

短篇小说的校对稿传真来了，校对完，就决定睡觉。

周期性会这样“倏地”消沉，为什么呢？咨询朋友，大家说都一样。

即便知道谁都有这种时候，可痛苦还是痛苦。

喜欢的书也不想看，看电视也没意思，酒在消沉的时候喝不会有好事。

以前会一晚上不睡，探究“为什么消沉呀”，最近则像逃到屋檐下躲避倾盆大雨般，上床强迫自己睡觉。

时间过去，雨不久也会停的。

渐渐依赖起外力的我。

二月十二日

世间三连休。

但我三天哪儿也没去，关在屋里写稿。

不知是不是因为连休，没有一通电话，也没有邮局的邮件。虽说这是自己喜欢才做的工作，还是觉得好寂寞。

三连休的最后一天凌晨，稿子完成。

高兴得泡了个长长的澡，涂了指甲油，睡觉。

二月十三日

和电影之友早苗久违地看了场电影。

布拉德·皮特的《七宗罪》。

电影和谁看（或是一个人看）很重要，看完电影后吃的饭喝的茶愉快与否，都会让人对电影的印象相去甚远。

早苗是我最棒的电影之友。她和我在完全不同的地方感动或不感动、哭或不哭，很有意思。而且虽然看了很多电影，却不说些深奥的话来炫耀，从积极意义上追星这点她做得也很棒，她又是位身材苗条的美女，更是不错。

和好朋友看电影是我非常喜欢的、仅次于旅行的休闲方式。

和女友自不用说，和男士看电影更是开心。不过想一想，已经很长时间没和男士看电影了，最后一次还是《费城故事》，几年以前呢。

看完电影后，和早苗喝酒。

聊到“想学点什么”这个话题，她说想学津轻三味线。

二月十四日

现在在给文艺杂志写短篇小说《无糖的爱情》，主题是“年轻女性的精神压力疾病”，这次打算写睡眠障碍，正网罗资料。

书上写着，要想晚上睡得好，白天就得充分沐浴阳光，不要午睡，以延长连续清醒的时间。难怪，我说我晚上怎么睡不着。

很多日子整天闭门不出，沐浴不到太阳的光芒。身旁没人在看着，有点困意马上在沙发上蜷成一团。但只要还做这份工作，就不可能白天都在外面走动，要忍耐午后的困意也很难。

但毕竟昼夜太过颠倒也不舒服。本以为只要按时完成工作，身体健康，没给别人添麻烦，几点睡几点起都无所谓，可为什么总觉得心情灰暗呢。

要不努力做个早睡早起型吧。我决定先努力延长连续清醒的时间。

二月十五日

二十六个小时没睡，晚上很早就失去意识般睡着了。

生物钟重新设置了吗？

二月十六日

早上五点，精神饱满地睁开眼睛。

真舒服！每天都这样多好。

上午写稿，下午接受女性杂志的采访。因为平时很少见人，所以不时有这种工作也觉得新鲜有趣。

东京星星点点飘起了雪花。

小时候每年都积几次雪，近几年有的冬天竟完全积不起来。地球都暖和成这样了吗?

晚上十点左右困了上床。窗外传来雨夹雪降落的声音。

二月十七日

刚想着近几年东京都积不了雪，结果就纷纷扬扬下开了。

不滑雪也不爬雪山的我欢喜得像个孩子，外出买吃的，顺便散步。商店街的阿姨们也掩饰不住兴奋:“下雪了啊。”“看样子会积雪啊。”买了足够窝在家里两三天的菜。

回到家，朋友来了传真:白日赏雪饮酒。

二月十八日

起来都中午了。本来重新设置的起床时间又恢复以往。

外面积了厚厚的雪。

望着窗外白白的树枝，一步不出，写稿。

二月二十一日

中午电话铃响时正在睡觉，但想着也许是编辑打来的，就勉强起来接了电话。

本想声音明快点，装作“早就起来了”，但对方一定听出来了。

写完要登在女性杂志上的随笔，发传真。这次题目是“女性完美裸体的打造法”。读者不会想到吧，装模作样地谈论这个话题的本人，体型在日本却无论如何也穿不了泳装。（海外OK。因为白人阿姨们即便胖如北海狮，也毫无顾忌地穿着比基尼。）良心有点痛。

快递送来了一堆邮购的衣服和小东西，一件一件试穿、照镜子，一天结束。

二月二十二日

有采访，早上十点勉强起来。

关于去年出的书，问什么答什么。记者很随和，所以感觉自己得意忘形说了太多。但到什么时候也不习惯拍照。

回到家，昨天寄出去的随笔修改稿来了。“稿子一下就通过当然轻松，但世事没有那么简单，而且这就是工作。”一边说给自己听一边修改。

光写短篇，长篇依然止步不前。

二月二十四日

写稿竟写到早晨九点。

不睡了，决定把今天当作恢复生物钟的日子。

在屋里待着很容易睡着，天气不错，出去散步吧。平时上午都在睡觉，偶尔大清早在外面走走倒很新鲜。

在附近没走过的路上溜达着，发现了一家牛仔衣店正在打折，便决定买件牛仔服。

特价三千九百日元和大特价一千日元的不知选哪件好，烦恼了半天，也许是因为没睡觉，判断力不发挥作用，结果两件都买了。回到家仔细一看，两件原价都是一万两千日元。

不知原来的价签是假的，还是真的大特价。不过开心。

二月二十五日

在父母家住了一晚，计算要申报的个人所得税。

我的收入没那么复杂，也不多，所以自己申报个人所得税。但算完后再填写申报表还是挺麻烦的。

在忙着计算费用的我身旁，猫咪卧在申报表上闭目养神。

全部完成，从二楼自己房间下去一看，妈妈还没睡，于是喝着啤酒和她聊起了下个月的阿拉斯加之旅。

妈妈兴高采烈地说买了放在鞋里的暖宝宝。

二月二十九日

以前曾负责过我稿件的编辑 T 慌慌张张打来电话。

以为什么事呢，原来是问我明天之前能不能写篇四页稿纸的随笔。太过突然，想是有什么事吧，但想到 T 以前很关照我，便答应了。

没有时间，注意力反而一下子涌了出来，转眼间写完。

半夜，猛然发现今年原来是闰年。

已经三月了，长篇完全没有进展，糟糕。

【三月】春日的室内生活，读书篇

三月二日

冷意有些松懈，天气暖和起来。

以前到了这时候，会欢喜于春天的到访而出门散散步，或打开窗子大扫除，但自从前年得了花粉过敏症，这些事都做不了了。

一拿床单或衬衫去外面晒，马上就会被卷入喷嚏地狱。

今年我从冬天起就吃着药，所以感觉没那么痛苦，但还是小心为妙。应对之策就是不让花粉进入体内。而要实现这点，听说尽量别外出，待在家里最好。

没办法，那就看点书吧。

每年都爱看新书，今年打算除了读特别想读的，也读一读买完就一直堆着的那些。

话虽这么说，读的却是前些天刚获直木奖的小池真理子的《恋》。

三月三日

我极其没长性，集中不了精力一口气读完一本书。

所以经常是几本书同时在读。基本上是分量十足的小说读够了就看轻快的随笔，随笔看腻了就看翻译作品、寄来的文艺杂志和女性杂志，或是邮购商品的目录，然后再回到分量十足的小说。

做学生时也是集中不了精力一直学一科，总是学三十分钟数学再学十五分钟英语，学二十分钟历史再看会儿漫画，然后再学三十分钟数学。像这样勤快地转换目标，东西更能进到脑子里。

今天读完了小林聪美的《凛凛少女》，我觉得现在散文写得最有意思的就属这位。消沉的时候读一下她，会觉得消沉的自己真傻，从而打起精神。

从便利店回来，发现我不在家时房东来过，在邮箱里给我放了米花糖[①]。啊，对了，今天是女儿节，有些开心。

边吃米花糖边看雅歌塔·克里斯多夫的《第三谎言》。太有意思了，一口气读到最后。

能让完全无法集中注意力的我一口气读完，真是令人敬畏的雅歌塔·克里斯多夫！

三月四日

连载的短篇小说的框架怎么也定不下来。读着书，不知何时又考虑起小说的情节，扔了书趴在地板上。

---

①米花糖，3 月 3 日女儿节吃的日式点心。各地做法略有不同，关东地区是将充分干燥的米饭加糖放入锅里炒制，可以有桃红、绿色、黄色等多种颜色。

说起来，我发现自己已经一周没正经见人了。不见人的日子里我不化妆，头发乱七八糟，戴着银边眼镜，整天穿着睡衣，房间里也是凌乱不堪、满是灰尘。又没有同住的人抱怨，所以要说轻松也算轻松。但看似会这么永无止境地邋遢下去，自己都觉得可怕。

唉，算了，只要能写完稿子就好。正想着，忽然接到电话，说明天要来公寓为我拍登在杂志上的照片。惊慌失措。

但也没时间大扫除，只好把东西往壁橱里一塞了事。

三月五日

出版社的人和摄影师来到家里。

我正好想买个新相机，借机向摄影师请教了一下从相机店拿回来的小山般的宣传册。摄影师说我想买的那款相机特别好，“连我都想要呢”，这应该暗示着对外行太奢侈了吧。外行还是买个适合外行的普通相机好了。

写短篇，读小仓千加子的《对谈·伪恶者的女权运动》，睡觉。

三月六日

在浴缸里读着杂志《野性时代》三月号，头有些晕，以为自己贫血了，谁知不是，竟是地震。

就一个人在家，还是赤身裸体，即便是三级地震也感觉特别恐怖。

三月八日

这段时间一直苦恼的短篇小说终于写完，而就在此时，也许是痴呆透顶了吧，没保存到软盘上就关了文字处理器的电源。当然，写的东西荡然无存。傻呆呆片刻后一个人低声啜泣。

这种错误用文字处理器的作家都犯过一两次。我以前也有过几回，所以一直挺注意的，只是最近没犯就大意了。

即便哭泣不止，消失在夜空的稿子也不会回来。

睡一觉起来估计就忘了，趁还记着重新敲字到半夜。

手忙脚乱错过了晚饭，体重减了一公斤。有点高兴。

三月九日

工作。

看过邦生的《语言发光时》。

三月十日

买了新相机。

近来自动对焦的迷你相机特别小巧轻快，功能又多，真不错！

正好有事回父母家，洗车的父亲、美容院归来的母亲、院子里嘘嘘的猫咪，各种试拍。

我特别爱看电器产品的使用说明书，也不干活，仔细研读相机说明书。

三月十二日

快递送来一大堆订的书。

这种一通电话即可购书的服务我很久以前就知道，但直到最近才开始用。

真是太方便了，我彻底上了瘾。

它最大的优点是想要的书不用满书店去找。爱书的人绝对经历过吧，想要一本书，去了书店却极少能马上找到。

畅销书或刚出的新书会醒目地摆在书店最显眼的地方，但仅过了一个月，那儿就摆上别的书了。即便是上个月的畅销书，也去了不起眼的书架，弄不好还会消失到仓库里。畅销书都如此，一开始发行量就少的更是转眼间就会从书店里销声匿迹。

但书这东西只要不绝版，就会存在于世界的某个地方。有耐心有时间，可以翻遍大街上的书店（那也是一种乐趣），但要确保到手还是订购更快。以前我也去书店订过想要的书，不过一册一册去订又一册一册去取，太费力气。

这一点上，快递就很厉害。我要的书转眼间（这也要看是什么书，有的也要花时间，不过总体觉得比在书店订快）就送到家里来了。当然要花手续费，但去大书店还要花交通费和体力，考虑到这些，我觉得还是快递便宜。

而且书很沉。一本不觉得，两本就挺有分量，买上三四本，更是沉得纸袋的带子都勒进手指了。快递却会把书送到家，方便得都可怕。

对，实际上太方便的事真得很可怕。支付时还可以用信用卡，不知不觉就买多了。

今天也是，收到快递的书时不禁呆住，“什么时候竟买了这么多？”

不仅书，床单、毛巾等日常用品，衣服、内衣、鞋、小一点的家具和化妆品等，我都会采用邮购方式。

爱买东西的我，自然也会兴高采烈地光顾百货商场、大型超市还有各种专卖店，但那不是迫于需要去购买必需品，而是去享受购物。

也就是说，去买东西是种消遣，而没有空不能在店里细细挑选时，邮购就非常方便。既节约时间，有时价格还更便宜。而且现在的邮购商品目录和时尚杂志一样品种丰富，全面覆盖流行，颜色和尺寸都很齐全。

不禁感慨，世界真是方便了啊。虽然特别像上了年岁的人说的话，但我真是这么想的。

我上高中时，连用电话买票的系统都没有，可现在一通电话就能买到去国外的机票。

我喜欢新鲜事物，又特别爱方便。不过，为什么还是觉得有些可怕呢?

在一直寄来的服装商品目录上，发现登着香奈儿包的图片。虽然不是说不能通过邮购买香奈儿，但总觉得不对劲。

同一本商品目录的后几页里有款特价睡衣，在上面画了个红圈。

三月十三日

很多花粉在飞，待在家里眼睛也痒痒，生气!

三月十四日

读去年起就一直在看的本妮塔·埃斯勒的《奥基弗和斯蒂格利茨：围绕着爱的斗争与和解》。[①]

也是因为书厚，总是想起来才断断续续看几页，老读不完。但

①乔治亚·奥基弗是美国颇负盛名的女画家，艾尔弗雷德·斯蒂格利茨是美国摄影史的巨匠式人物，两人为夫妻。该书是传记作家本妮塔·埃斯勒所作传记。

一点点读着厚重的书，其乐趣又有点像每天一点点地打毛衣。

我基本上每个月看七八本书。在与书的世界无关或不是特别喜欢书的人看来，也许挺多，不过在我所属的世界里，一年读一百本也不算多。

但读书并不是很早以前的习惯，而是成年之后才开始的。现在写小说、看小说我都很喜欢，可十几岁时却一点不爱读书。

不，现在想来并不是我讨厌书，只是年轻时完全不知道看什么好。记得以前一位熟人说过："就算偶尔想看点书，可那么多书又不知道选哪本好。"这话说到了关键。

因为不知道读什么好，所以试着读了书店前面摆着的畅销书，没意思；又试着读杂志上介绍的书，没意思；读朋友推荐的书，没意思。如此一来便会得出结论：书这东西没意思。

但别就此放弃，挑战一下自己觉得可能会挺有意思的书，什么都行，不断挑战中绝对能找到对自己来说有趣的书。我就是如此，老大不小才终于和自己觉得有趣的书相遇。找到了一本，后面就简单了。找找同一作者的，看看这位作者推荐的，作者不同便看看同一类型的，一定还能找到喜欢的其他作家。不只限于小说，纪实文学和学术书籍也同样如此。

以前我把读书想得太难，认为读书很了不起、很伟大，是在学习，这种心态不对。

现在读书对我来说和听音乐看电影一样，是否有文学价值都无所谓。畅销也好不畅销也罢，即便周围的人都说没意思，只要自己觉得有意思就好，只要自己能沉迷其中就好。

阅读数量也不是多重要的事。有时会有人炫耀看了许多书，但如果只追求数量，谁都想做就能做到。重要的应该是其中有几本触动了你的心，有没有遇到哪怕一本可能改变你人生的书。

我就是遇到了几本改变人生的书，而我自己也在写书维持生计。读了写，写了读，如此一天结束，一周结束，岁月流逝。

真幸福啊，我打心底想。

但愿这种幸福能永远继续，在被窝里困了合上书时，我如此想着。

三月十五日

早上下起大雨。

对花粉过敏的人来说这可是场及时雨。今天花粉不会飞，放心地外出购物。

晚上接到阿柏伤心的电话，说是丢了钱包。“人活着总会丢一次钱包，对吧？”以前我向她寻求慰藉时，她曾信心十足地说“我就没丢过”。所以忍不住笑出了声，对不起啊。

三月十六日

明天就要去阿拉斯加旅行。

之前定下的任务量却没完成。

边想着回来后该痛苦了，边收拾行李。

阿拉斯加没有杉树花粉在飞吧……

三月十七日

乘坐美国西北航空公司的008次航班到西雅图，大约八个小时。翻遍了《朝日周刊》的每个角落。

从西雅图坐阿拉斯加航空公司的航班到安克雷奇，约三个半小时。看阿拉斯加的旅游手册。

从安克雷奇换乘阿拉斯加航空公司的另一个航班到名叫费尔班克斯的内陆城市，约一个小时。什么也不读，睡觉。

从费尔班克斯坐客车进山，约两个小时。累得大睡。

算上等待的时间，大概共花了二十六个小时，到达名叫珍娜的温泉胜地。

好像没有花粉在飞，松了口气。

三月十八日至十九日

珍娜温泉深夜的气温是零下三十度到零下四十度，就算白天也有零下十五度左右。冷是冷，不过能借到穿起来像宇航员的非常厚实的防寒服，倒也不要紧。而且在旅行地兴致高涨，没感觉多冷。等发现时脸都冻伤了，又红又肿。

在那儿住了三个晚上，每晚都领略到了完美的极光。据说我们抵达之前一直是暴风雪天气，别说看极光了，根本没法在外面行走。真幸运！

极光当然壮观，坐狗拉雪橇也很有趣，而最让我感慨的还是零度以下的露天温泉。

国外的温泉不同于日本，大家不用脱光衣服，都穿着泳衣，这样倒能在温泉游泳池里游游泳，在温泉水疗池里和不管男人、女人还是外国人（在那儿我是外国人）一起泡着聊聊天，很开心。

户外有一个更大的水疗池，进到里面，脖子以下是热水，脖子往上则是零度以下，特别舒服。泡了一会儿有点晕，就站起来，冷了再泡到热水里。

无论白天晚上，我只要有时间就泡在温泉里。白天不当不正的时间进去一看，宽敞的温泉游泳池也好，露天温泉也好，一个人也没有，简直就像天堂。舒舒服服地游了一会儿，午后的阳光下（不过气温仍是零下二十度）在温泉里进进出出的，就我一个人。还做了做操，唱了唱歌。

晚上也有晚上的景致，很晚的时间进到露天温泉里，忽然头顶极光现身。

极光比想象中更变幻莫测。我张大了嘴巴，一直、一直出神地看。

三月二十日至二十一日

安克雷奇观光。

看了冰川、冻湖，还有驯鹿、驼鹿和水牛。

按说珍娜温泉的气温更低，但感觉还是安克雷奇冷。

回去前一天丢了钱包和信用卡，这是笑话阿柏的报应吗？

三月二十二日至二十三日

回去的飞机上读安妮·爱德华兹的《费雯·丽传》。

从成田回家的路上，买了一直想吃的寿司。我真的是近乎丢人的米饭党，只一周的面包加面条就无法忍耐。

刚到家眼睛就痒痒，生气！

三月二十六日

已经预想到了，稿子攒了一大堆，什么事都没空干。

月底截稿的六十页的短篇小说还完全没动笔。

救救我吧！

【四月】电话，啊，Go！ Go！

四月一日

四月一日是星期一，心情不错。

早上起来后久违地大扫除。

房间已一尘不染。正值樱花盛开，吃了鼻炎药，外出散步顺便买东西。

最近也没时间去好好挑衣服，所以一口气买了三条李维斯的牛仔裤（黑白灰）。这下一段时间内不用担心裤子了。

回到家，三个电话录音加一页传真。

之后电话一个接一个打进来，真不愧是四月一日星期一。人事调动的寒暄、稿子的确认、文库本进展的商议、旅行的商量，一口气被告知这么多事，大脑混乱。

后天起去鹿儿岛旅行，三天两夜。给惠姐打电话问问穿什么去。

四月二日

去美容院。出道社会第二天的新人男生（推测十八岁）给我揉肩。“真硬啊。”被他这么一说，三十三岁的我超不好意思。

回到家，看见传真吐出了一米长，是女性杂志发来的采访样稿。回复传真说我已读完确认。

传真这东西真方便。

我的传真史大概是从四年前惠姐送了一台旧传真机开始的。

电话感觉是强行挤入对方的时间，传真却是“有时间请读一下”，我喜欢这种客气劲头。既可以用来确认联络的事项，也可以发个小小的问候；既可以与处得不愉快的人和好，也可以传个无聊的涂鸦。

而且虽然消极，但和不想说话的人联系，或装作不在家时也很方便。

最近才发现我这人特别喜欢电话。

我不总煲电话粥，给人打电话会打怵紧张，别人打来电话有时也不想接。总的说来，我曾怀疑自己是不是讨厌电话。

但仔细想一想，我十八岁时就拥有了专用的电话，和家里电话分开，是自己掏钱装的。

现在连高中生都有自己的小灵通，但我做学生时却是录音电话和无绳电话都没有的年代。但我无论如何、无论如何都想要一部与父母分开的电话，就拼命地打工，拼命地说服父母，终于在自己房间里装上了电话。

我的第一部电话是从 NTT（日本电信电话公司）租的奶油色的拨号电话。年轻人也许不知道，以前电话机要从 NTT 租借。

拿到自己专用的电话和电话号码时，我感觉自己好像一下子长大了。这下再也不用担心打电话时父母偷听了，就算是半夜也能和朋友煲电话粥，想到这儿我高兴得都快眩晕了。不过第一个月寄来的收费明细也让我眩晕。话费高得惊人，难怪一煲电话粥父母会那么生气。

拨号式电话不久变成了按键式，之后不用再从NTT租借，而是自己买了录音电话安上。我第一个录音电话一次仅能录十六秒。

后来我很快有了第一代传真机，把它接在了录音电话上。再不久内置录音电话的传真机问世，我又买下。

传呼机刚普及，我也买了一个。去年又把它换成了手机。这才仅仅不到十年的时间。

没什么特别需要的手机都买了拿着，也许我是个相当俗气的新鲜事物追求者吧。新颖又方便的东西会让我心潮澎湃，是我的大爱。照这样下去，估计下次该是电脑和网络了。

可来到这一步，我却有些犹豫不前。

我还没有电脑，现在用的文字处理器只要安上调制解调器也能上网，但我却有些害怕。

其实，前些天发生了这样一件事。

由于工作关系，很多人一起喝酒时，一位肯定是业内人士的男士说："不久的将来，作家、记者和编辑都会有电脑，大家都用电脑交涉稿子，而且为了削减经费也应如此。用手写稿的作家还要花人工费让编辑去取稿，所以稿费理应比用电脑发稿的作家低。"

我当然知道那人醉了，言论极端。而且"上门去取文稿是编辑的职责"这种旧观念，我也不认同。

但还是觉得不对劲。不是作家稿子怎样的问题，而是照这样的话，今后私人间的信件和贺年卡会不会也都用电脑发出去就好了？

不久的将来，我也一定会买电脑，稿子有一天也会用网络发出。我却不认为不分场合不分对象都要这么做。

现在有时已经有这样的情况，约稿人的面没见到，连声音也没听到，短篇就发了出去，最后以稿子刊登在某个地方宣告结束。要问我这样是不是觉得很遗憾，可为了篇这么短的稿子去见陌生人，我也觉得心情沉重，嫌麻烦，所以不见面就能搞定事情其实挺好的。

这没有任何不妥。但是，要问我是否信赖约稿的人，我还是会回答“NO”吧。

我虽然喜欢新颖又方便的东西，但工具就是工具，我讨厌被它们摆弄来摆弄去。

我喜欢电话，却也经常忘了把电话设成录音留言，也会因传真纸用完或手机关机被别人抱怨，这一切并不是因为讨厌被摆弄。但偶尔，也是故意的。

四月五日

去鹿儿岛，两夜的温泉。

在盛开的樱花树下，泡着露天温泉。

阿拉斯加的温泉也很不错，但还是日本的温泉更棒。

钓了一会儿鱼，惠姐钓到一条小鱼。我吃了篝火烤的地瓜。

来回的飞机上，读文库本的书稿。以前出去玩的时候，就算意气用事也绝不带着工作，现在却不敢这么说了。该庆幸还是该悲哀呢。

四月七日

写截稿日期近在眼前的短篇小说。

刚想着今天一个电话、一份传真都没有，半夜就接到小我一轮的朋友K的电话。

她一上来就哭着喊“文绪小姐”，所以我赶忙“是的是的”进入倾听状态。

住在九州的K基本都是半夜打来电话，而且通常是在被男人甩的时候。恋爱进展顺利时没有她的消息。一个没有消息便是好消息的家伙。

不过，我对这样的K却不可思议地丝毫不感到愤慨。K的一些烦恼，总让我很有共鸣。

话虽这么说，不过我也是人，正睡得酣然或因感冒乏得不行的时候，也会说“下次吧”而挂了电话。

和K相识已经七年多了。那时她还是中学生，我作为少女小说家出道，这个女孩读了我的第一本书，给我写来了信。

我大概写了三年的少女小说，那期间真是收到过很多来信，也就是所谓的粉丝来信。但这些信与其说是写给我个人的，不如说是写给少女小说和其作者的，与私人间的通信还是不同。但有几个孩子写的让我感觉心灵相通，其中就有K。她的信既有孩子的彬彬有礼，又富有节奏，洋溢着优雅，让我很有好感。

不久我放弃了少女小说写作，也不再收到粉丝来信，但K还是会不定期地写信来。一次我去九州时两人见了面，之后一直到现在。

回到正题，今晚K讲的也是被男朋友甩了，再加上最近刚上班工作上不习惯，变得什么热情都没有，她哭着说："我想去死。"

"你还年轻所以……"或是"今后一定会好的……"之类的台词差点蹦出来，我又强给咽了回去，努力瞎聊着逗她开心。

我朦朦胧胧地体会到，她从儿时起就隐约有种对世界的不信任，烦恼根深蒂固。越想嘲笑自己的悲惨状况，孤独却愈深，那种感觉清晰地传来。

"跟朋友说我想去死，结果她们刷地都跑了。"她破涕为笑。这一点不仅年轻人表现如此，成人也是一样。

对朋友也好恋人也好，父母也好兄弟姐妹也好，完全无处寄放自己的心。这样的人世上有很多，未必谁都能找到活着的意义。

我基本上每天都过得挺快乐，但有时也会忽然想：做这些事到底有什么用呢？我想死！

我和小自己一轮、生性忧郁的女孩子重叠在了一起。我也会定期被这种虚无感侵袭。

总在自欺欺人地活着。

然而，年轻女孩深夜的电话却让装作没有烦恼的自己想起了那些不愿去正视的不安。

"不过我还不想死。"低声叹着写稿到天明。

四月八日

星期一是电话日。

被传真的声音吵醒。躺在床上呆呆地望着纸不停吐出来，绵延了两米左右终于停下。

各出版社业务联络的电话和传真蜂拥而至。但这种情况只限一周伊始，周二起便静悄悄了。

四月九日

樱花差不多要谢了，去散步赏花。

附近的儿童公园里有棵硕大的樱花树，我每天都去坐在长椅上，吃着冰激凌或饭团欣赏樱花。

写稿写到半夜，杂志短篇的校对稿传真来了。打电话一问，都两点了阿柏还在公司。

四月十日

考虑下一个短篇的框架。

想写“带电棍的白领”，可电棍哪儿有卖、大概要多少钱、普通人是否也能买，这些都不清楚。给在电视台工作的朋友I打电话，记得他的节目中曾经用过电棍。

正好制作那期节目的导演也在那儿，给了我非常详尽的解答，解决了大问题。

如此一通电话，小说就出来了。

其实不该如此轻松吧。稍稍反省。

四月十二日

为洽谈工作来到涩谷。

回到家，传真纸竟吐啊吐啊吐出了三米，好像这还不够，但纸用完了。六十页的短篇小说校对稿。

一边和骨碌骨碌卷在一起的传真纸搏斗，一边认真地考虑买个用普通纸的传真机。

四月十五日

回父母家，去了区政府，更新了护照，还去了隐形眼镜店。

本想和以往一样买周抛型的，结果眼科医生说我“眼角膜的状态不好，不能再用了”。没买到，受打击。

医生推荐普通的隐形眼镜，但我已经厌烦了每天的护理，所以买了日抛型的。沮丧地想，今后拿它和框架眼镜共用着活下去吧。

真是的，眼睛不好，既不方便还费钱。

四月十九日

商量文库本的装帧。

上次的装帧广受好评，我也非常满意，这次便拜托了同一位设计师。没想到对方帮我做了很多款，每款都很漂亮，难以抉择。

书的装帧，有的作家会全权委托出版社，有的则细细嘱咐，各不相同。我怎么说呢，属于想插嘴的那种吧。

即便被人觉得很吵，可等到书出来再抱怨“这、这不对”，还不如把话说在前头。

而且不管如何，作品都是我心爱的宝贝，我想给自己的宝贝穿上优雅的衣服。别人再怎么说可爱漂亮，那种蕾丝飘飘或是颜色讨厌的，我都不想让她穿。

四月二十一日

凌晨写完短篇小说，发传真。长些的稿子我都尽量不用传真，而是从邮局寄，不过这次实在太迟了，紧卡着截稿日期。

紧张的弦一下子断开，睡了一整天。

四月二十三日

和恋爱咨询师留美好久不见，边吃晚饭边聊着彼此近来的恋爱状况。

所谓恋爱咨询，并非只是好朋友才行，谁都可以胜任，聊过之后能振奋精神的才是最棒。

即便关系不错，人非常好，可有人一聊到恋爱话题就会忽然消极起来，向她们咨询简直会觉得恋爱本身就是徒劳。跟这种类型的人我会尽量聊些别的话题。

和留美聊恋爱的事特别开心。她无论和谁在何种状况下恋爱，都能津津乐道。即便身处的情况相当严峻，也不忘快乐恋爱的她真厉害。被她带着，我也心情开朗起来。

喝了点酒，心情不错，在大街上走着走着发现一家十五分钟按摩院，兴奋地说着“进去进去”。僵硬的脖子让人揉了一下，舒服多了。

四月二十四日

去横滨取护照。

神奈川县的护照申请所就在港口近前，在夏日般的蓝天下流着汗走到港口，心里特别畅快。顺势买了热狗和啤酒，坐在山下公园的草坪上吃。

男职员女白领们正在长椅上晒太阳，络绎不绝的游客咔嚓咔嚓拍着照片。

天空没有一丝云彩。脱了夹克只剩件半袖，微风舒适地轻轻拂过，一个人眺望着港口喝啤酒，感觉何其幸福。

山下公园是故乡中的故乡，有关这一带的回忆多得几乎分不清哪个是哪个。上幼儿园前曾和父母来过大栈桥，结果迷了路被警察叔叔带了回去。和女孩子们来野餐过，当然也来约会过，还在除夕时来听过新年的汽笛。

想一想，一个人来也许还是第一次。而且大中午就喝啤酒，有点……

拿了十年期的护照回去。

下次更新是四十三岁，一想到这又念叨起来："有点……"

四月二十六日

最近早晨不冷了，可以毫不挣扎地从被窝里爬起来。于是睁开眼的时间也越来越早，今天早上六点半就自然醒来。

我这夜猫子，也许主要是怕冷而已。

什么原因无所谓了，穿上新运动鞋，去图书馆、银行、邮局还有便利店转了一圈。

给儿时的好友小优打电话，告诉她我黄金周[①]要过去玩。小优说：

---

①在日本，指四月末至五月初休息日较多的一周。

“我给你做手卷寿司，所以要在这儿住一晚啊。”

四月二十七日

不太想搭话的人来联络，有点讨厌。

这种轻微的坏情绪，不在真正消沉前赶快治好就糟了。

正好也没有工作压着，徒步两分钟去了健身会所，在游泳池里游了游泳。

回去的路上顺便去了附近刚开业的花店，买了特价的非洲菊，还得到了一条可爱的手巾做赠品。和花店老板聊了一会儿回到家，不好的心情几乎荡然无存。

一直都是一个人，也就更擅长取悦自己。

想要总是、总是保持一种“没有理由就是开心”的状态，然而行走在人世间，却会有很多讨厌的东西落到头上。

不过，因无聊的小事烦恼和摇摆，太浪费时间了。

消耗体力也好，花费金钱也罢，我都要找回我的“没有理由就是开心”。

四月三十日

喜欢摔跤的三鹰先生给我们买了票，和惠姐去东京巨蛋体育场看职业摔跤。

我对摔跤并不太了解，但偶尔去看看，大声喊喊倒可以宣泄压力。

比起正统派，我更喜欢重在服装和表演的选手，在这基础上实力再强些就更完美了。今天愚零斗武多[①] 特别帅。

回去时，三鹰先生带我们去吃了“有些难看却极其好吃的中华料理”。菜的味道很不错，而一杯竟要一千五百日元的绍兴酒，黏稠稠又甜甜的，好喝得惊人。

还想再喝一家，用手机打了很多家的电话，却都因黄金周休息。

三鹰先生明天还要去国外旅行，大家便乖乖地九点解散了。

---

①愚零斗武多，日本著名摔跤选手武藤敬司的绰号。

【五月】想瘦为何反倒更胖

五月一日

一到五月，已是天气好时一件短袖就能走出去，真舒服。

不过这也是冬天里存下的脂肪碍眼的季节，每年这个时期我都下决心“夏天之前要减点体重”。

我这几年都是五十公斤上下。

或许有人觉得也不是多胖，可我身高一米五四，所以五十公斤一出头看起来就“有些圆乎乎的”。

鼓足干劲去了健身会所，却没想到人家休息。不就是黄金周嘛，别休息，营业吧。

睡觉前称了下体重，五十一公斤。

五月三日

儿时的好友小优在埼玉县盖了房子，我过去住了一晚。

以前我家和她家离得很近，从小学一年级到高中三年级都一起上学放学。

聪明温柔、人见人爱的美女小优，我到现在也很仰慕。甚至笔名用的都是她的旧姓“山本”，足见我的仰慕。

小优都有三个孩子了，却完全没有拖家带口的感觉，和以前一样漂亮、精神又温柔。我心里甚至想，这家伙是妖怪吗?

但到底是有三个孩子了，小优似乎每天都很忙。经常不是这个发烧，就是那个摔倒受伤，听说忙得自己感冒都没空去看医生。

我们还上小学时，小优的梦想是“做新娘”。她说工作都交给丈夫，自己要在家里生很多小孩。

而我当时的梦想是“做小优的丈夫”。我打算工作一辈子，所以想照顾小优，如此求婚时她非常高兴。我是很认真的，她怎么想呢?

我们俩都是女人，所以没坠入情网（很遗憾小优没有同性恋倾向，我也许有一点点)，但儿时的梦想可以说基本都实现了。小优拥有了幸福的家庭，我也找到了想要继续一生的工作。

最近彼此的生活模式大不相同，住处也相隔很远，很难见上一面，不知为何却完全不觉得疏远，每次见面总能回到笑翻了的儿时。

小学时经常一起被老师训。到了中学，第一次进咖啡厅是我们两人一起。各自换了喜欢的男孩会相互倾诉，也曾吵过小架。

和小优相比，成绩、运动神经还有姿色都逊一筹的我有时也会为自卑而困扰，但这点现在也怀念。直到长大以后我才听说，学生时代方方面面都出类拔萃的她，曾害怕因此会让同性讨厌，活得特别小心翼翼。真是明星也有明星的烦恼。

那天，不习惯和孩子相处的我被毫不客气地“游戏攻击”，半天下来头晕目眩。

我常常想，小怪兽一样的孩子们快快长大，把小优解放出来多好啊。我真的暗自期待上了年纪还能和小优一起玩的那一天。

我跟才两岁的最小的小鬼祈求："快点把小优还给我吧。"但再一想，小优是她丈夫的啊……

大口吃着她一次次端上来的饭菜和点心，大口喝着啤酒，在客人用的羽绒被里呼呼大睡。

带着幸福的记忆回到家，体重变成五十一点五公斤。

五月六日

世间好像正因黄金周沸腾，我却独自一人写着稿子。

早上中午都吃得很少，晚饭没吃，体重却没有减。

一定是整天坐着不动，消耗的热量也少吧。

五月七日

和电影之友早苗看了中国电影《摇啊摇，摇到外婆桥》。

看完之后和以往一样吃一点喝一点时，早苗忽然说："我的性格好像很犀利，也许很讨人厌。"她说自己"无法坦率地看待事物，想法总是不由自主地歪曲"。

我倒觉得这种性格的人很有意思，很喜欢。不过她丈夫好像比她还要"犀利"，比如问他"买衬衫了？"，他会回答"不可能有人给啊”。

早苗说：“文绪的小说也相当犀利呢。”的确，在工作之外认识的那些朋友，看了我的小说都特别惊讶，说是看不出我在想这么刁钻的事。我对“犀利”也略有自信。

但回到家忽然想起来，一翻字典吓了一跳，“犀利”和我想的意思略有不同。

所谓犀利，是指能明察事物本质见解，或能洞察人情世故的微妙。

我们一直说的不过是“乖僻之人的看法”，并不正确。

怎么说呢，比起犀利，我更属于乖僻。很难将自己所想直截了当说出来，所以才以小说的形式倾吐。而这居然成了职业，说来的确抱歉。要努力成为真正犀利的人。

吃喝到很晚，体重又增加了，五十二公斤。糟糕。

五月九日

不光是嘴上说说，我要认真减肥，所以去健身会所上有氧操课。

我属于没体力的人，连初级课程都气喘吁吁。

数了数以前加入的健身会所，竟有五家之多。也就是说前四家都以挫败退会告终。

总是燃烧着“增强体力、保持苗条身材”的希望入了会，但渐渐嫌麻烦就不去了。白付的会费加起来有多少呢？不敢计算。

不再去的理由大致是“太忙没有时间”，“工作累了哪有心思运动”，“去的话还要洗澡吹头发，太麻烦”。

但这回加入的健身会所，却几乎没有这些麻烦。

徒步只要两分钟，有空立马就能去；不用坐电车，来回素颜就好；不用去挤俱乐部的淋浴室和化妆间，直接跑回家立刻就能跳进自家的浴缸。

果然这是我迄今为止去得最多的一家，不过成果还没有显现。

做学生时，我就讨厌体育课。

没有体力，马拉松只能跑最开始的三分钟，身体又不灵巧，跳箱和器械体操都是弱项。对体育老师还有种近乎偏见的讨厌。总之体育成绩很差。

我深信自己讨厌运动，长大后却发现不是这么回事。我这个运动神经差、只一小时的有氧操就累得要死的无能之辈，却很喜欢活动身体。一点点的情绪低落，挥挥汗即可痊愈。

长大成人真是太棒了。学生时曾被体育老师当作笨蛋，但现在我是缴纳会费的顾客，不会的可以学到会为止，慢慢按自己的节奏来，也不会有教练露出不悦。

也许是因为出了汗，体重略有下降，五十一点五公斤。

五月十四日

时隔五年左右，新配了眼镜。

以前配的时候，用的是当时最轻的镜片，而这次的比上次还轻。不禁感慨各种事物各种技术都在不知不觉间进步。

晚上和朋友约好的饭局取消，垂头丧气地回了家。

没精神，喝杯热牛奶就睡了。五十一公斤。

五月十五日

去图书馆，结果人家休息。

确认了休馆日再去就好了，可有时就这么莽撞。不是什么了不起的事，但还是感觉不舒服。

改为散步，目标是那个还没去过的带池塘的公园，走路大概十分钟。

刚踏上没走过的小路，就发现了一家便利店！徒步三分钟、离家最近的便利店，搬来十个月了竟一直没发现。又高兴又遗憾。

五月十六日

今年一月份起一直很忙，为保持平衡，这个月的日程便定得比较松散。

但那一刻起却懒了起来，定下的工作量也完不成，懒懒地看电视，懒懒地吃东西，懒懒地瞌睡。

这样怎么可能会瘦。五十一点五公斤。

五月十七日

之前配的眼镜镜腿有点紧，去店里修理。

顺便去十五分钟按摩院揉肩。

仍被人说“客人,肩这么硬您还真是不在乎啊”。在乎才来的嘛。

又顺便去了修鞋店，给有点松的休闲鞋垫了鞋垫。

接下来的事不是顺便了，有了点额外收入，想在零零碎碎花光前正经买件东西，于是买了一直想要的西服套装。

腰多少有些紧，不过只有一个码，跟自己说再瘦点就行了，购入。

眼镜、酸痛的肩膀还有尺寸不合适的鞋，并非不舒服到无法承受，所以一直忍耐着些许窘迫，但修好了心情自然舒畅。

不过还是有其他窘迫存在。对讨厌的人不能说讨厌，要笑容满面，工作上即便有事很气愤还是忍下了，想到闹大了更麻烦，便都放在心里。

商场在卖的漂亮衣服都是九号[①],我为了虚荣忍耐着紧紧的裤腰。

也觉得有些奇怪，但一直忍耐这种心情。

我的减肥史已有十二年左右。

---

①九号，在日本指适合身高158cm左右的女装号码，属M码。

这么说来似乎很厉害，但以前我体重一直很稳定，十二年前却忽然胖了起来。

体重猛然增加了十公斤，慌忙强行减掉这十公斤，结果反弹变得更胖，再后来就是一点点减，直到现在。

自己也觉得是个谜，饮食又没有多么剧烈的变化，为什么会如此胖胖瘦瘦呢。

本来只要身体基本健康，不管胖瘦，顺其自然就好。慌慌张张"必须瘦下去"，是因为没有能穿的衣服了。

第一次略胖一些时，让我震惊的是商场的衣服全部只有M号。有一天我发现九号的裙子穿不进去，目瞪口呆。虽然目瞪口呆，但同样的东西找了下十一号的，没有。

我迄今买的Young Designers（不知有没有这词）的衣服基本都只有九号，而大尺码的，不是面向太太们的高档货，就是超市衣服卖场里卖的那些，知道这一点后我颇受打击。

也就是说，我成了大婶。世人说：想穿年轻人的品牌，就请瘦点。

不愿认输的我，暂且想方设法瘦到了能穿进九号，但还是无法释然。

现在年轻人体格应该比我那个年代更好。我的身高在我那一代里不算特别矮，但听说如今开早会的时候这个头要站在最前排。

体格好了，衣服却越来越瘦。不光是腰，现在流行迷你的东西，T恤毛衣之类，稍微圆润一点的孩子穿起来就紧绷绷的。

十几岁的女孩子比较圆润，二十多岁会自然瘦下来，这（应该）

很正常。然而面向十几岁孩子的品牌净出这么瘦的衣服，那些爱美的孩子便会一门心思要瘦下去，我觉得这也是厌食症或暴食症的原因之一吧。

长脂肪是那么不好的事吗？

像吉尼斯大全里那样胖得无法一个人进出家门是很糟糕，不过谁都会老去，身材走样变成大婶或大叔，这很自然。

也许是不愿服输，可我觉得这也挺好。

又不是干了什么坏事，若人人都以“年轻苗条朝气蓬勃”为活着的价值，那过了三十岁岂不就是余生了。

话虽这么说，但偷偷在想夏天前先要减到五十公斤以下。

没吃晚饭，五十一公斤。

五月十九日

妈妈六十大寿，家人齐聚中华街。虽然住在横滨这么久，但没什么事谁也不会特意来这里，所以中华街是久违了。

妈妈几年前开始学英语，体验到了去国外旅行的乐趣，于是送上旅行箱做礼物。

这种日子还保留食欲的话有点那个，大吃特吃。体重害怕得没敢称。

五月二十三日

为了有勇气站上体重计，去健身会所。

有氧操的时间安排不合适，到游泳池里游泳。其实我游二十五米已是不容易，别人在旁边轻盈畅游，我或是抓着浮板踢水，或是步行往返。

这点运动第二天肌肉就疼，可见一定是有效果。

胆战心惊地站上体重计，五十一点五公斤。

五月二十七日

这段时间过于悠闲，结果要赶的稿子攒了一堆。截稿日期将近，写稿写到半夜。

夜里三点，忽然手机响，吓了一跳。家里的固定电话半夜朋友有时会打来，但手机会是谁呢，一接是陌生人。

想着可能是打错了，于是问他："您找哪位？"结果他说："随便打的。之前这样的时候，电话做了爱。"

不禁笑了出来，一上来就说这事也……

"不好意思，我正在工作。"说完挂了电话，挂之前那男的好像还说了什么。

的确很失礼，那人似乎还很年轻，声音感觉很柔弱。

世上寂寞的人还真多啊，我再次坐到文字处理器前。

以为还会打来，却没有。也许找到了理睬他的人吧。

五月二十九日

文库本新书的庆功会，和给我写书评的评论家还有角川出版社的 H 君三个人吃天妇罗。

地点在一家像是政治家或公司董事们为出谋划策碰面的高级酒店，有些感激还有些不安。为了掩饰，拼命地吃，拼命地喝。又是看见体重计也装作没看见，睡觉。

五月三十一日

气温超过三十度，盛夏般炎热。不禁来到健身会所的游泳池，结果大家想得都一样，总是很空荡的游泳池里异常拥挤。

稍微游了一会儿，进了叫“AQUA-Beauty”的水流湍急的冲浪池。

感觉来这里的基本都是想甩脂肪的大婶，因而一到傍晚时分，没有她们身影的冲浪池很空荡。

也不知道是否有效果，把身体交给了这如台风侵袭时的多摩川上游般的水流。脂肪是否减了尚不清楚，肩膀酸痛倒是好了。

进到水疗池，在半是玻璃屋顶的游泳馆屋脊下，眺望着下落的夕阳。一个白领模样的女孩淡然地一直、一直游着。

【六月】东西和爱情都扔掉

六月三日

很久没来玩的惠姐，开口第一句话就是“东西多了哎”，我心里一惊。

也许因为她上次来时我刚搬来不久，东西少，收拾得又很整齐吧。

我问她：“其实你是不是想说很乱啊？”结果对方干脆地点了点头，“嗯。”

我最近的确很懒。

刚开始一个人生活时，父母家还留着自己的房间，我打算把那儿当仓库，东京的公寓里只放最少限度东西，要生活得简单而整洁。我陶醉于自己宣扬的这个理想。

然而现实却无法像时尚杂志《安安》中的照片。

因工作关系，书和杂志无论如何都会越来越多。而一有点额外收入，马上又去买衣服，所以小小的衣柜和壁橱现在都已经被衣物填满了。

搬家后仅十个月，我的房间里便都是杂志和书堆成的小山，还随处可见塌方。装不下的衣服，就在一根撑起的横杆上展示。

我知道自己得做点什么，却又总在找借口：“现在那么忙。”

写稿。

六月五日

想处理一下最占据空间的书和杂志，先去图书馆把借的书还了。

图书馆两周可以借十本书，没有的书只要申请还可以从其他图书馆寄来，所以一不留神就借了好多。

但冷静地想一想，两周很难读完十本，我却经不住诱惑能借多少就借多少，结果没看就还回去。自己真是傻瓜，讨厌自己。

今天忍着没借那么多，只借了画册、写真集和杂志（都是很快能看完的）回家。

已经看完堆在那儿的自己的书装进旅行包，用快递寄回父母家。

可还有大批心里痒痒想读，却要排到很久以后的书，满当当地塞在床下。

下面这些话不能大声说，每天比起写作时间，我的读书时间绝对更长。

而比起读书时间，睡觉时间更长。

这样当然赚钱少了。

六月七日

写完了一个短篇。

结束一份工作的充实感，再加上离今晚跟人约好的喝酒还有些时间，便到涩谷逛商场。

我已预感到这种兴致高涨的时候绝对会买衣服。

果然买了。算了，又高兴又开心。

而且这种时候，绝对会兴致高涨地喝很多酒。果然。

六月八日

宿醉。

想继续蒙头大睡，但今天有事要回父母那边，无奈起床。

在横滨老家的车站刚下车，忽然听到有人喊我名字。一看，初中和高中时同级的男生正跨在摩托上，望着这边笑。

说是男生，也已经三十四岁了。以前常去游泳学校、倒三角体型的他彻底发福，说自己已是两个孩子的爸爸了。

久别重逢，在站前的肯德基喝着茶聊了会儿天。他一直在老家，很清楚老朋友们的消息，告诉我很多，比如谁在做什么工作、谁结了婚生了孩子。

其实我们上学的时候并不是特别熟。

性格开朗近乎全班中心的他，与毫不起眼几乎无人知晓的我全无接触，若不是今天偶然相遇，也许我一辈子都不会想起这个人。我想对方也同样吧。

而且，如此偶遇若是发生在二十五岁之前，想必我们不可能这么平常地聊天。

以前我在焦点人物面前有种强烈的自卑感。我那时就知道这是渴望展示自我的另一种表现，一和性格开朗的人说话便格外痛苦。

现在能和他很自然地闲聊，也许有两方面原因吧。一是他已经彻底成了“心地善良的大叔”，另一个是我也有了正式的工作，可以自立，少了些自卑。这么一想心情有点复杂。

在肯德基前分手时，感觉就像在和约会的男人告别。那男生带上头盔，骑上大摩托，挥了挥手便走了。

六月九日

父母家自己的房间换了新床。

借着高兴劲儿整理房间。

扔掉不要的杂志和小东西，收拾了壁橱，读完的书收拾到一起卖到旧书店。

我喜欢买东西，却也喜欢处理东西。

想买时只要经济允许就大买特买，结果不要时大扔特扔，这或许是极其令人羞耻的做法。

所以有个时期，我尽量只买自己真正需要的，衣服也决定不再买那种不流行就穿不了的款式。

不过连一年也没坚持下去。总而言之，这样生活乏味无趣。看时尚杂志也好，欣赏商场橱窗也罢，不买就失去了意义。我总觉得这和那些“宠物早晚会死所以不养”、“恋情终究会结束开始也只是徒劳”的借口很像。

即便知道有一天会扔掉，但现在觉得好就可以了，我终于想明白，活在当下更适合我。

就算这衬衫的图案明年绝对穿不了，就算知道这鞋的款式过段时间就不再流行，可有钱买的话那就使劲儿买好了。

前面也写过，我因店员推荐能穿一辈子而下大决心买的死贵的皮衣，现在已经土气得无法穿了。但又不舍得扔，便把它尘封在父母家的壁橱里。恋爱若也认定是一辈子的事，仅此就会觉得沉重不堪。

我决定与其因“一辈子”心情沉重，不如不断新陈代谢。这么一想，心情竟惊人地轻松，买东西扔东西也都没有了罪恶感。

而且这么决定以后，反而更珍惜东西。

买的东西总有一天会分别，不过尽量别扔，最好送人或卖掉，而能借到的就不买，租好了。

穿旧的衣服扔掉，但若是仅穿了能数得过来的几次，会请比我小的朋友拿去。也卖到过旧衣店，也曾在那家旧衣店买过别的东西。有段时间朋友的婚礼接连不断，便和同样境遇的朋友互借西装和裙子。

书和CD，不再需要的就赶快卖掉。比起花费的精力，到手的钱并不多，但与其扔掉不如让给想要的人。只想简单读读听听的东西，尽量去图书馆或出租屋借。

记得之前和谁说起类似的话时，曾被讽刺说：“那么，恋人也租吗？”

人不可能像物一样，新的到手旧的就扔掉，或者不值得变为己有就借用两个星期，我明白这点。

不过，也许我真有那么恶劣的一面。

并非要辩解，但因回忆不舍得扔掉的衣服，已不再听却仍放在柜子深处的黑胶唱片，我也有，只一点点而已。

六月二十二日

那个前些天工作上曾有过一面之缘的男人，是我极喜欢的类型，记得家里有本杂志上登过他，试着找找看。

刚开始找，忽然想起来上次一起都扔了。

书和杂志等不再需要就大扔特扔的我，有时会像这样后悔。这东西也许再也买不到了，遗憾至极。

我又想起了就像这样再也见不到的那些人。曾经的挚友中，有些人或许再也不会相见。

在肯德基一起喝茶的那个男生，也说不知道旧日恋人的消息。那个女孩曾和我同班，但不太熟，完全不知道她现在在哪儿做些什么。

最近有时会像这样有些感伤（以前完全没有过），现在拥有的东西、现在亲密的人，有一天也会如此失去吧。

因此一旦和别人熟起来，就尽可能常见面，一起玩，想着再亲密些就一起去旅行。“等着有时间或改天去”，如此想着想着，人就走远了。

不享今朝，更待何时呢。

我有时觉得自己活得简直像个旅行者。脚从地面抬起一厘米，准备出发！

【七月】夏日的室内生活，TV篇

七月九日

外面台风将近，大雨倾盆。

就算是梅雨季节没办法，可连日的阴雨弄得房间和身心都潮乎乎的。

没有精神，看了录的DOWNTOWN组合的《HEY！ HEY！HEY！》，还是不想工作，歪在床上来回换着换着电视频道，一天就这么结束。直接懒懒睡下。

七月十日

开始一个人生活后，我经常看电视。因为这还是我第一次拥有只属于自己的电视机。

小时候我也算是个电视小孩，但到了高中前后就是家人看的节目我跟着望两眼而已，几乎没有每周等着盼着的节目。那部电视剧《向太阳怒吼！》基本一次也没好好看过（打开电视碰巧正在播的话看上个五分钟）。和别人说起这事，他们都特别惊讶。

考虑了一下原因，我猜一定是频道权的问题。

小时候频道权在我手里。就算爸爸在看历史剧，我也会随意换成音乐节目或动画片，爸爸从没抗议过，我也根本觉察不到自己的暴力行径。现在想来也许是因为大人不会和孩子计较吧。

随着渐渐长大，我发现其实没有多少想看的节目值得换掉爸爸正在看的频道,因此放弃了频道权。恰好此时家用录像机普及开来，特别想看的节目录下来就好，完全不成问题。

妈妈好像不怎么爱看电视，单独待在客厅时她会看卫星频道的电影，此外的时间电视都关着。

结婚后频道权完全在丈夫手里，我甚至连遥控器都没怎么拿过。

所以我没什么看电视的习惯。但开始一个人生活后，有一天忽然只剩我和电视君两个人了。

十四寸小小的小小的内置录像机式电视，小小的小小的黑色遥控器只属于我一个人。再怎么随意换频道，也不会破坏谁的心情。

接下来我和电视君成了好朋友。

感觉就像和以前从没好好说过话的人面对面聊一聊，竟出乎意料地脾气相投，很快要好起来。从没仔细看过的节目表，找一找竟然也有好玩的节目。

我主要看搞笑类的节目，要不就是音乐节目或纪实片。电视剧和智力问答节目不怎么看。很多明星或文艺界人士当嘉宾的节目，一看就着急。

再有，没想到我还爱看广告，比较喜欢节目与节目之间短短的五分钟。而最喜欢的是天气预报，自己也不清楚为什么，一天光天气预报就看好几遍。

生活健康类节目里，一直以来无意中看的概率很高的是中午的《笑一笑又何妨！》和晚上的《塔摩利俱乐部》。这是说我喜欢塔摩利[①]吗？我可不想承认。

经常看电视后我发现，看电视太轻松了。

看书或电影需要你积极跟住情节，而看电视只是一味接收，很快就有广告帮忙断开，所以有点注意力就行。只看五分钟也会有五分钟的乐趣。

因此一旦感冒或精神上招架不住时，我就扔掉书懒懒地看电视。

“光看电视会变傻的。”以前常被妈妈这么说，我觉得这话很对。电视是没有干劲时绝好的避难所。

七月十一日

边吃早饭边看录的《塔摩利的词汇乐园》。啊，又是塔摩利！

上午不管换到哪个频道都是新闻广角，我不是讨厌新闻广角，但没有罪过的娱乐新闻还好，我可不想边吃饭边看“全家惨遭杀害”、“纵火杀人”等消息。所以上午吃饭时我基本都是看前一天录的节目。

但一大早就看词汇乐园，有点空虚。

---

①《笑一笑又何妨！》和《塔摩利俱乐部》的主持人均是森田一义，艺名塔摩利。

七月十二日

时隔很久外出。

是和男人看电影。这可是《费城故事》以来的壮举。

看的是布鲁斯·威利斯的《十二猴子》。电影特别有意思，但布拉德·皮特出场比我想象的还要少，而且还是个好人，失望。

看完电影后喝了点啤酒，对方说“得给孩子弄晚饭”，回去了。

回家看完《音乐站》后赌气睡觉。啊，又是塔摩利……

七月十五日

真正的酷热。有传言说气温一超过三十度，蟑螂就会飞，可我是一超过三十度就不想外出。

边看录的《世界遗产》和《简单英语会话》边吃饭。

一看了这两个节目，顿时就想去哪儿旅行。但天太热了，想去遥远的国家看看，却不想去附近的超市。

七月十八日

天越来越热，啤酒的消费量不断增加。

夏夜的乐趣之一，就是边喝啤酒边看《大相扑精粹》。当然要是有时间的话，会在傍晚看直播，但没完没了地看便会没完没了地喝，所以三十分钟就结束的《大相扑精粹》配上一瓶啤酒正好。

我对体育节目不感兴趣，只有相扑却是不知不觉一直在看。有一次父亲带我去国技馆，去的前一天横纲[①] 千代富士却引退了，让我好不失望。

我想谁都是这样吧，喜欢前几名的大力士。连续打败强敌的安艺乃岛曾让我痴迷不已。同样原因，我现在给武双山加油。性格乖僻如我，也会不由自主给横纲曙太郎加油。

托伊达公子的福，平时不看的温网也看了。今年还有奥运会，不太爱看体育节目的我也会跟着看些。

七月二十日

亚特兰大奥运会的开幕式，三个多小时我一直在看。听说今年是历史上参加国家最多的一届。

其实我对奥运会没有太大兴趣，只爱看开幕式。

四年一度，每次看到奥运会的开幕式我都在想，名字和位置都不知道的国家比预想的要多好多啊。孩子般地感叹世界可真大。

现在奥运会已商业化，也许不再单纯是增进国际交流、促进睦

①横纲，是日本相扑运动员的最高级别。

邻友好并留下感动的盛会，不过看着入场行进中从大国到小国，每个国家的人都笑得那么灿烂，心里真舒服。

这么说来，多少届以前很多国家入场时还都是排列整齐，只有美国代表团全然不整，七零八散地像开玩笑般走来，看到此处我幼小的心里曾想“美国到底是不一样，真是自由的国度”。这次的奥运会上就没有像军队般齐刷刷行进的国家了，时代确实变了。

相扑“千秋乐”[①]比赛前，曙太郎被若乃花一个内侧勾腿绊倒输了，生气。

每周都看的九十九组合的《超人气》因棒球全明星赛加时而顺延，更加生气，再加上每周都看的《音乐倒计时》又因奥运会关系停播，我的心情彻底变坏。

七月二十一日

看相扑“千秋乐”比赛。

昨天输给若乃花、肩部负伤的曙太郎，连入场仪式上的击掌似乎都很痛苦，轻而易举就输给了贵乃花。又是贵乃花夺冠，没劲。

---

①在日本，比赛或表演的最后一天叫“千秋乐”。

七月二十二日

上午起床，边看录的《世界遗产》边吃饭。

新闻时间到了，停了录像打开电视，听到奥运会足球比赛上日本赢了巴西，震惊！我对足球完全不感兴趣，不知道日本的实力竟这么强。

想看中午的《笑一笑又何妨!》，换了台结果却停播，在播奥运会特别节目。又来了。边想边准备录今天的录像，结果期待已久的今田耕司的深夜节目也因奥运会停播了。

“别以为全日本都爱看奥运会啊。”一个人唠叨。

七月二十三日

本以为已经出了梅雨季，可这几天小雨又下下停停。

像这样一旦养成窝在家里的毛病，就觉得一个人的房间待着太舒服了，没有必要出门。

我的小说不太需要外出采访，而且现在书、衣服甚至食品都可以邮购。稿子用传真发就行，钱可以请对方汇入银行。几乎没有必要见人，所以稍不留神，我便会如此过上居家生活。

一个人工作一个人看书，一个人吃饭一个人看着电视乐，之后一个人睡觉。感觉寂寞难耐的人，肯定会找个人同住吧。但我并没觉得寂寞难耐。要说难耐的，反倒是想一个人的时候无法一个人。

要是有人问我现在的生活惬意吗，我姑且会回答“YES”吧。

虽说是自己渴望的一个人，有时还是会感到一抹空虚和不安。

即便和某个男人恋爱，瓜熟蒂落而结婚，那裂开的空洞也不会被填满，这点我已经很明了。

那么空洞会因工作消失吗？也不会。

现在工作还算顺利，照此努力下去，也不会有特别苦恼的事。家人和我都很健康，虽然不多但有亲密的朋友，而且满心期待的事也不少。

然而晚上睡觉前关灯的那一刻，袭来的胆怯又是什么呢？

隐隐地感到不安，也许就这样永远都是一个人。

没有干劲的日子，光看看电视天就黑了，我有时觉得一生也同样光发发呆就会结束。一事无成，真正想要的东西一无所获（而在此之前还没弄明白自己真正想要什么），人就死了，想到这些我坐立不安。

这种事一想起来怎么都睡不着，看录的《SMAP × SMAP》。

电视国度里的人们，似乎总那么开心。

但其实木村拓哉也好谁也好，一定也会有隐隐的不安。

不，也许没空不安吧。

也就是说我很闲，所以净考虑那些灰暗的事……

七月二十六日

外出。

在横滨与小学还有高中时的同年级同学喝酒。

最近偶尔外出，肯定会喝酒。

这个样子可以吗？心里这么想着，可还是喝到半夜，晃晃悠悠地去父母家住。

觉得好寂寞，大半夜地给朋友打电话。

身体有些不舒服。净给人添麻烦了。

七月三十一日

电视换到哪个台都是奥运会。

不想看却还是看着。

最近总待在家，工作却毫无进展。一无是处的我。

【八月】一无是处的人去便利店

八月四日

继续上个月的没有干劲，一个人在房间里懒着。

最近比较偏向早睡早起型，可今天睡到了午后。感觉生理周期又在朝着晚起型下滑。

冰箱里空空如也，却打不起精神去商店街买东西，去了徒步两分钟的全家便利店，买了便当、速冻食品还有乌龙茶回来。

心想待在家里那至少写写稿吧,打开了文字处理器,却毫无干劲。

八月五日

睁开眼打开电视，正在播奥运会的闭幕式。

开着空调，在床上懒懒地看电视。理所当然的，奥运选手个个精神饱满。与他们相比，我这种一无是处的样子算什么啊。呆呆想想罢了，并没特别反省。

亚特兰大的下一届是悉尼，四年后的我到底会变成什么样呢？害怕认真去想，蒙着被子睡到午后。

明天久违地和惠姐约好去喝啤酒，所以打算把正在写的短篇小说写完了再去，痛痛快快地喝啤酒，可结果还是开了个头而已。

讨厌定了计划又像这样经常完不成的自己。

晚上很晚发现牛奶没了，又去全家便利店。本来只打算买牛奶，结果还买了杂志《花子》和炸薯条。

八月六日

时隔很久外出。

隐形眼镜快用完了，想买些备着，去了涩谷。

可刚到涩谷却发现忘了带健康保险证，没有保险证就不能做眼科检查，也就买不了隐形眼镜。沮丧。

时间多了出来，去做十五分钟按摩，揉了脖子和肩。那家店的会员卡我每次去都忘，前台的女孩告诉我："下次请务必带来！"

从涩谷来到三轩茶屋车站，与惠姐会合去吃寿司。

现在社会上各处都发生了因病原性大肠杆菌 O-157 引起的食物中毒事件，还有几位不治身亡。

听说因此人们都不再光顾经营生食的寿司店和烤肉屋，我们便决定既然如此那就去吃寿司吧。

因为一听说这种事，生性乖僻的血液便开始躁动。

要说我就是跟别人不一样，也确实如此，不过我特别讨厌跟风的现象。

O-157 刚流行时，看到有报道说染病的孩子遭人欺负，我不禁哑然。

疾病的可怕我十分清楚，但反应如此过激，只要能保护自己便不惜伤害别人，这种做法令人讨厌。

寿司店里人又少店员又热情，吃得很开心回了家。

性格乖僻的好处，也许就这点吧。

八月七日

发现到今天，一个人生活已整整一年。

没有大麻烦，房租也按时交，不禁夸自己干得不错。但冰箱里依旧没有正经的食物，而且倦倦的没有干劲。

最近连着去全家便利店，今天改去徒步三分钟的7-11买了烤肉便当。

从住处步行不到五分钟就有四家便利店：全家、7-11、Sunkus和迷你岛。

在横滨的父母家，最近的便利店也要走上十分钟，所以我特别惊讶。问了下住在东京的朋友们，大家都很干脆地说便利店走几步就到，说很近的地方就有好几家。

我的独身生活史才一年而已，仍觉得便利店很稀奇，正乐在其中。

如今每天的饭钱、衣服钱还有房租，我都可以自己赚钱付。人也三十三岁了（现在是一九九六年八月）。只看这些，我姑且也算是位自立成熟的女性吧。

然而冷静地回顾一下自身，我却无法这么认为。

仗着就一个人在家，总是懒懒地睡觉。嫌见人麻烦总是拒绝，即便偶尔外出也只是喝酒。

情绪又多少有些不稳定，有时只一点点小事便萎靡不振，好几天都不碰工作，啜泣度日。

偶尔会打心底讨厌到了这个岁数还脱不了幼稚的自己。

虽然自己说有点那个，但二十几岁的后半段，也就是结婚那五年间还要强一些。

很少去便利店，正经八百地去超市买菜买鱼每天做饭。工作和家务也做得比较井井有条，能有效地利用时间。

我觉得还是“不能给同住的人添麻烦”这种心理在起作用。我挺虚荣的，和谁一起就想得到谁的表扬，所以干活特别卖力。

而现在，偷懒也好午睡也好每天吃便利店便当也好，没人在看。即便房间凌乱不堪，即便一整天都穿着睡衣，也不会被谁说是邋遢。

明明自立了却反而更堕落，近来觉得这样的自己有点丢脸。

至少把便利店买来的菜从塑料盒移到盘子里吃吧。别用穷酸的短方便筷，用漆筷吧。人若用心，便会舒心。

八月八日

父亲的生日快到了，在站前的游戏软件店买了任天堂的“游戏小子”游戏机和两款游戏软件当礼物。

以前父亲因小病住院，看起来很闲，我就送了他一个“游戏小子”，没想到昭和初年出生的父亲从此迷上了它。

父亲上岁数了，而“游戏小子”的画面又太小，怕他眼睛辛苦，给他买了家用游戏机超级任天堂。可谁知父亲说家用的麻烦，玩都不肯玩，一直弓着背噼噼啪啪打“游戏小子”。

这已是五年前的事，现在“游戏小子”也旧了，不太好用了。又小又轻便画面还清晰的掌上“游戏小子”开始发售，便决定过生日时送给爸爸。

不光爸爸，妈妈也喜欢“游戏小子”，所以打算再买一台，还有对战用的联机线一起送给他们。

再回父母家时，看到六十多岁的父母在用“游戏小子”对决，那会是挺和谐的景象吧。不，或许会变成吵架的元凶，导致老来离婚也不一定。

我玩了下很久没玩的“游戏小子”。

本以为会像以前一样痴迷，结果太麻烦，很快就放弃了。连玩游戏的霸气也没有了吗?

八月九日

偶尔想煮点米饭，却发现大米一点都没了。去附近的米店，谁知却因盂兰盆节休息。

我的生活没什么星期几的概念，更不可能注意到世间是不是盂兰盆节。商店街上每家都大门紧闭，很是冷清。

散散步，顺便去了稍远点的罗森便利店。

这段时间连着吃全家和 7-11 的便当和小菜，想换换口味。

以为便利店不卖大米呢，没想到竟有一公斤装的小袋在卖。

买了速冻食品、哈根达斯的曲奇香奶冰激凌还有杂志《安安》。

八月十一日

晚上正看着节目《感觉好极了》，忽然有人敲门。

平时基本没有人在这个时间来访，以为什么事呢，原来是 NHK 收费的人。

“请您缴纳收视费。”

怎么看都是个老人的他沉稳地对我说道。

其实一年前搬来时，之前的房客在大门口贴着 NHK 的节目接收贴纸，就那么一直放在那儿，谁也没来说什么，现在我都忘了没交费这事。

刚搬来两三个月还说得过去，可为什么都过了一年才来呢。有什么调查的方法吗？

以前，同样是一个人生活的朋友说：“NHK 的人来了我也绝不开门（不付钱）。”我可没这胆量。

对方如果年轻且盛气凌人地前来，我不知道会怎样，但这样一位和善的老人，而且还是晚上八点半，我不可能说“你走吧”。这也许是NHK的伎俩。

不过那位老人只从这个月起收了钱。抱歉了，之前的都没付。

但是，确确实实让我办了银行转账的手续。

八月十二日

写着稿子，哪儿也没去、一句话也没说天就黑了。也没什么特别的事，但一天不出门总感觉不舒服，于是去了全家便利店。

仍然没有自己做饭的热情。身上也有些没劲儿。买了加维生素的果汁。

八月十三日

早上起来就觉得有点怪怪的。

头重脚轻。洗了脸、换了衣服、扔完垃圾，还是觉得没力气，就又睡下了。

再睁开眼，发现烧到三十八度。

热伤风。也难怪，二十四小时一直关在屋子里使劲吹空调。

头晕晕沉沉，完全没有退烧的迹象。正巧有人打来电话谈工作，缠着他不放：“感冒发烧头昏。”

想吃冰激凌，却又没精神去便利店，喝了点牛奶凑合。没有食欲，吃了以前买的即食奶油炖肉，又睡了。

晚上，之前被我纠缠的人怯怯打来电话：“不要紧吧？”

一发烧就像孩子似的，真丢脸。

八月十五日

烧还不退，肚子的情况也不好，有点不安。之前吃的寿司掠过脑海，赶紧摇了摇头。

我体力不佳，但不是体弱多病，又没生过大病，当然也没住过院。

所以就算发烧，不去管它的话也基本上两三天就好了，但去年十一月我却有生以来第一次卧床两周多。

体温在三十七度和三十九度之间徘徊，去医院打了点滴也不见好，咳嗽得厉害，震得胸部肌肉都疼。

一个人生活以来第一次真正生病。但意外的是并没觉得多么悲惨。

要说不安的确是不安，但前面也说过我很虚荣，即便真的很痛苦很难受，也会跟人说“不要紧”。

所以一个人之后，我发现不用管别人怎么想，爱怎么哼哼就怎么哼哼，爱怎么咳嗽就怎么咳嗽，不禁还有些开心。

其实那时已经引发了肺炎，但说出来让人难以置信，在知道得了肺炎前，我还闪了腰。

医生那儿拿的药也吃了，可过了一周烧还不退，很奇怪。难道是庸医？我决定换家医院看看，走着去稍远一些的医院。路上使劲咳嗽了一下，那一瞬间就闪到了腰。

我根本无法一个人走路，求路人把我带到医院后被告知腰闪到了。不能走路，就连便利店也去不了，没办法请哥哥开车接我回父母家。现在想起来是个笑话，可当时惨得都流下了眼泪。

之后去父母家旁边的医院做了胸透，得知是支气管肺炎。因此虽不情愿，还是在父母家疗养了一段时间。

据医生说，就算只有一周，但如果一直躺着，肌肉也会衰退，或许因此才闪到腰。不过真是可怕的闪腰。不能用双脚走路便丢掉了做人的尊严，在家里都是四肢伏地前行。爸爸没笑但妈妈笑了。

有这件事在先，所以烧不退便有些不安。

为了不让肌肉衰退，发着烧还做了哑铃操。

八月十六日

不知道是不是不该做哑铃操，烧得更厉害了。

已经第四天了，觉得还是去看看医生比较好。

于是在今年最热的一天，去了离家最近的曾怀疑过是庸医的医生那儿，却因盂兰盆节休息。没办法又去了附近另一家医院，也休息。

犹豫是回家呢还是怎么办，但事已至此我也犟了起来，在明晃晃的大太阳下又朝着车站附近的医院迈开了步。

预感就不好，站前的医生也休息。盂兰盆节生病也不行啊，我感叹着，又去了附近的一家大型综合医院，终于有营业的了。

说了发烧和腹泻的情况，盂兰盆节还在工作的了不起的医生说："O-157 检查你想做的话也可以，不过我觉得不是。"他说，若是大肠杆菌引起的食物中毒，不会仅这些症状就罢休的。稍稍安心了些。

食物也快没了，顺路去全家便利店买东西，筋疲力尽地回到家。

傍晚的天气预报说今天的气温是三十八度七，竟然比我的体温还高。

吃了从医院拿的抗生素，转眼间烧就退了。身体的不适消除后，逃了四天的工作开始让我不安起来。

眼看就要到交稿日期，感冒要是再拖一拖，倒可以成为连载停一次的理由，可好像一下全好了。

而且连载停了就拿不到那份钱，信用也会降低吧。

不情愿地打开文字处理器电源，写一行叹一口气。

八月十九日

烧退了，慌忙开始写稿，豪言壮语地说今天前能完成的稿子还是没写完。跟出版社打电话来的人一直道歉。

没有时间做饭，继续便利店便当。

八月二十一日

稿子比截止日期晚了两天写完。

正巧这大好时机，时隔很久有人约我喝酒，高高兴兴出了门。

上街也好喝酒也好都久违了，兴高采烈地拉着朋友喝到电车都没了，大醉。

最近好像一喝酒，就爱给别人添麻烦。

因为压力太大吗？要是这么自由的生活都还有压力，也太对不住世人了。

八月二十五日

时隔一个月回父母家。

去那里坐电车只要一个小时，所以独立之初打算经常露面来着，可才一年，感觉就从“回”变成了“去”。

那虽是生我养我的地方，可与其说是自己的家，不如说是父母的家更合适。允许我放放行李，偶尔允许我住一下。

吃过晚饭后，正在自己几乎成了仓库的房间里发呆，砰地传来好大一声响。

妈妈从外面叫我“快点快点，焰火焰火”，出去一看，夜空中升起了盛大的焰火。

是每年在附近的小学校园里放的，由一个很小的自治体[1]来组织，所以不同于大型焰火晚会，很快就会结束。

院子里看不见，便和妈妈来到路上，附近的人也陆陆续续出来了。孩提时经常碰面的邻居阿姨们都好久不见了。

忽然看见以前一直住在对面的横山阿姨抱着个小婴儿，不禁兴奋地问道：“这孩子是……”

“外孙啊！”横山阿姨笑道。

“这么说，是阿蜜生的了？”我兴奋地问。

阿蜜是横山阿姨的女儿，说起来我还记得阿蜜刚出生时的事。

那还是上小学前后吧，妈妈带我去看小婴儿。去了对面人家，横山阿姨（当时一定才二十多岁）躺在被窝里，旁边刚出生的胖乎乎的小婴儿正甜甜地睡着。

当时的情景，我还清晰地记着。记得看到婴儿红扑扑的小脸，我便想：啊，怪不得人们说婴儿是粉红的啊。也记得横山阿姨那看上去高兴又自豪的笑脸。那还是我有生以来第一次近距离看到诞生的喜悦场面。

也就是说，曾是小婴儿的阿蜜又生了小婴儿。成了外婆的横山阿姨和那时一样羞涩但自豪地笑着。

我再次思考起来。说实话，我从没有那么想要小孩，但也从没

---

①自治体，指在日本具有行政自治权的公共团体。

断言绝对不要的理由就在这儿吧。

成人俯视婴儿的眼眸都那么温柔，婴儿的笑脸里似乎洋溢着让人心满意足的幸福和希望。

但也许我不会生下自己的孩子。并非因为年龄或者结婚对象等问题，是我害怕。我怕生了孩子，只为自己活的人生就变成了为孩子活的人生。

这么一想，我虽然年龄在长，可本质上也许还是那个只考虑自己的任性的孩子。

妈妈似乎对横山阿姨的外孙不太感兴趣。也不知道是真的没兴趣，还是在我面前故意如此。

这些聚集在路边的平时没什么交流的邻居们，仰着头，张着嘴，望着焰火。

大概十分钟后焰火结束，也没有人询问彼此近况，一个一个道着晚安回了家。

说来，这还是我今年第一次看焰火。

【九月】去荞麦面店和忽然搬家

九月二日

天有些转凉，精神随之呼呼回来了。

总结一下，上个月没有干劲似乎仅仅因为苦夏而已。

精神回来了，那就别只是闷在屋里，多出去走走吧。先去车站附近的荞麦面店吃午饭。

那家店搬来时就听人说好吃，试着去吃了一次，真的特别、特别好吃。以后便经常散散步顺便过去吃饭。

今天要的是炸什锦荞麦面。

四个肥肥的小虾骨碌骨碌倒在碗里。

九月四日

隔了一天，又去荞麦面店。

滑菇萝卜泥荞麦面。

我去时通常错开午饭时间，大概两点或三点左右，但客人仍是接连不断。它的位置有些难找，却从不断客。果然是受欢迎。

不过，不知因为是平日中午还是荞麦面馆就这样，有很多独自来吃的客人。

大概十年前还在做白领时，我也曾经一度这样迷恋荞麦面店，

记得那是步入社会第一年的冬天。学生时代一直吃妈妈做的饭，工作后就吃不上了。

又不知道几点回家，而且我从小就知道妈妈不太爱做饭，所以我跟妈妈宣告：不用再管我的饭了。

有时从公司回到家，会随便从冰箱里找点东西做了吃。但越来越多的时候，加班肚子饿得扁扁的，就在车站大楼内的餐馆里解决晚饭。

起初独自在外吃晚饭时紧张极了，一个人坐在麦当劳里不安地啃着汉堡。等到吃腻了快餐店，我便想鼓起勇气进正经八百的店里看看。接着想到的便是荞麦面店，女孩子一个人去吃也不足为奇吧，便决定进去试一下。

现在一想直乐，但当时一个人进荞麦面店对我来说是极大的冒险。

当然，进去了什么事也没有。比起快餐店，这里菜单丰富了许多，最重要的是能安静踏实地吃顿饭。

等从容些了，我又注意到竟有很多独自吃晚饭的人，这让我有些惊讶还有些安心。

中年大叔就不说了，独自用餐的女人也很多。一位看起来四十多岁、穿着高档套装的女人，边喝啤酒边吃着天妇罗拉面，那样子帅极了，看起来悠然自得又幸福十足。说不定会有人觉得很悲惨，

但在我眼里是如此。我感慨，成熟就是这样吧。

之后过去了十年，现在别说是荞麦面店，连寿司店和烧烤店我都能坦然地一个人去。

这十年里，不只是吃饭，一个人能做的事情越来越多。以前觉得有些事“一个人有点……”，比如音乐会、舞台剧和旅行，但现在都能一个人开心地前往。

曾经觉得一个人去不了的时候，行动之前要先找个同伴，找不到就会放弃。说起原因，比起一个人心里会不安，其实是更介意别人的目光：一个人会很奇怪吧？内心深处某个地方觉得，要是让人以为自己既没朋友也没恋人，多丢脸啊。

不知从何时起，我觉得别人怎么看自己都无所谓了。本来别人就没有想象中那么在乎他人的事。而为了毫无意义的虚荣放弃想做的事，也太傻了。能够如此想问题，也许是因为一个人生活久了。

不过，我还没独自在荞麦面店喝过啤酒。我觉得自己还没成熟到能很自然地做这件事。但可以肯定，等再过几年，有一天我也会在荞麦面店里自斟自酌。

这么一想，变老也不是件坏事啊。成了大婶也会有大婶的快乐。

九月七日

一同去过香港的香川搬了家，去看她的新房子。

她的新房要从中央线的车站走上一会儿，但又宽敞又整洁，收拾得很有味道，特别漂亮。

当初我也没好好找，差不多就定下了现在的住处，安静，装修得也漂亮，还不算坏，但有点小。看了香川的房间后，我特别、特别、特别想搬家。

可是才住了一年，至少等到明年重新签约的时候更好吧。心里这么想着，但全身上下却开始蠢蠢欲动。

我的搬家史没有那么多，第一次搬家是结婚时离开父母家。从找房子到办理水电煤气的手续、置办家具，还有搬家的安排，几乎都是我自己干的，回忆里还留下了感触：想做就能做到！

在那儿住了五年多，离婚回到父母家是第二次搬家（黯然的搬家……），第三次就是搬到现在住的地方。

一直深信自己是久居一处的性格，不过八年间就搬了三回家，还旅行多次，忽然冒出一个疑问来：难道我是流浪型的？

有时想去陌生的土地看看，那欲望连自己也压抑不住似的直往上涌。不只是旅行，我还想到各种各样的地方生活一下。

即便是东京，也既有平民区又有临水地区，既有住宅区也有高楼林立的大街，无论在哪儿生活似乎都很有趣。而这又不仅限于东京，海边也很美，山上也很快乐。北面不错，南面也很好，小岛又是一番景致吧。哪里都会有不方便，但那一定又是一番情趣。当然外国也想住住看。

吃着香川做的章鱼沙拉和牛肉火锅，喝着阿柏带来的好喝的新潟的八海山酒，一个人想着这些。

九月九日

杂志《月刊角川》上连载了一年的稿子，最后一轮校对稿来了，这份工作终于结束。

每月二十二页的短篇，看起来轻松，其实相当辛苦。

不过集在一起倒似乎能成为一本颇让人喜欢的书。一个人开了瓶啤酒庆祝。

九月十一日

正在写月底截稿的短篇，忽然接到电话说那本杂志暂时停刊。都已经完成一半了，大受打击，无力地倒在地板上。

下一个短篇小说的截稿日期是下月中旬。时间一下子空了出来，有些不知所措。

有时间的话就写开了头的长篇好了，但搬家的热情刚刚膨胀，便琢磨着正好有半个月的时间，要不要搬个家呢？

不过，太草率了吧。怎么办呢，倒在地板上烦恼。

九月十二日

虽说太突然，烦恼了一夜的结果，还是决定搬家。

现在的房间才住了一年，原本想等到明年再搬，但我的工作看起来清闲却也有很多事，很难找到像这样干脆地告一段落的时间。

反正又不会有人反对，那就搬家吧！现在正是机会！接下来我就去找曾留意过的那一带沿线的房屋中介。

格局和房租基本上都定了，请人带我看了几处房子，傍晚时便找到一处喜欢的，定了下来。厨房的地板不喜欢，希望房东能让我重新铺一下，结果对方很轻松就答应了。

给惠姐打电话告诉她我要搬家，过快的进展让她目瞪口呆。

自己也觉得太不沉稳了，没办法，这就是性格。无论如何都想做的事，只要不给别人添麻烦，我就按捺不住。

找房子找得筋疲力尽，回家的路上顺道去了荞麦面店，和以往一样吃了荞麦面。

对了，搬家的话就再也吃不到这儿的荞麦面了，发觉这一点，着实有些寂寞。

九月十三日

因为搬家的决定很突然，各种手续一下子忙了起来。

首先向 NTT 申请电话迁移，拿到新的号码，去印制迁居明信片。

之后去横滨的银行把定期存款解约，又去了当地区政府拿居民卡，到哥哥家打扰，请他帮我写担保人的保证书。嫂子为我特意走路二十分钟去区政府拿印章证明。我觉得很过意不去，买了商场的购物券送给她。

已是晚上，便在父母家住下。跟母亲说了搬家的事，又是目瞪口呆。

九月十五日

搬家公司来估价。

纸箱给我留下了，就要搬家的感觉实实在在涌了上来。

但是，今天去房东那儿告诉他我要搬家时，他竟比我想象中受到的打击更大。

之前我不知道，隔壁的房间也刚空了出来，我再搬走的话房租收入就又少了。经营公寓也不轻松啊，真对不起。

本觉得不会给人添麻烦，可竟添了这么多。

九月十八日

今天去签新房子的合同。

我这人，终于真的要搬家了。

这次的房子在三楼，一楼是房东，去打了个招呼。

拿到钥匙，略微打扫了一下。

这次的房间一个人住比较宽敞，而且离车站很近，但存款也蒸发了些，我发誓要消停一下。

累得筋疲力尽，又顺路去了那家荞麦面店。大碗的田园黑荞麦面。

九月十九日

铺厨房地板的店家今天要来估价，所以早早就起来了，花了一个小时去新居。

本以为简单铺一下就行，实际上却好像很麻烦，超出了预算。没办法，怎么都不喜欢的地板革就这么铺着，住下去讨厌死了，虽然贵还是决定换了。

搬家当天阿柏会来帮忙，今天去她公司附近送钥匙。两个人都没时间，聊了三十分钟就分了手，我去买了窗帘、壁橱垫和除尘纸拖把，再去新居。

扫除、挂上窗帘，只干了这些就快累死了。

由此可知平时是多么不爱活动，这比工作还辛苦。

回去路上又去了荞麦面店。鸭肉荞麦面。

九月二十日

一天都在家给行李装箱。

我住的是一室一厨的小房子，平时又非常注意不添东西，可打起包来还是大吃一惊，自己的行李比估计的多多了。

只装了六个箱子，就累得快站不起来了。

没力气去荞麦面店。想把冰箱里的东西吃完，于是吃了以前冷冻的咖喱饭。

九月二十一日

涩谷的东急手工店十点开门，一开门就去取迁居明信片，顺便印名片。上次一起定制就好了，结果给忘了。

这次多了一个房间，所以想买个以前想摆却没地方摆的餐桌，去看了手工店和 LOFT[①] 的室内装饰区。

我也知道不用这么急着一下把所有事情都做了，所有东西都买了，但等到十月份工作又会忙起来，没工夫了。不借着这个劲头都买齐的话……

涩谷的室内装饰店都看了，却很难找到满意的。

当然了，好的东西特别贵，质量一般的还得自己组装。店员说“很简单就能装上”，但我在这上面失败过很多次了，组装式的家具一次也没简单装上过。

结果，在丸井的家居馆买到了基础款的条形餐桌。其他地方

---

① LOFT，日本知名大型连锁店，以销售生活杂货为主。

也有类似的东西在卖，但丸井竟然说帮我组装。太棒了！请帮我组装吧！

椅子也在丸井买的话会超出预算，所以鞭打着疲惫的双腿去了无印良品，买了两把最便宜的。

累得筋疲力尽，本想要不要和往常一样吃点荞麦面再回家，可真的已是疲惫不堪，就在东急百货的东横分店买了便当回去。

没有体力收拾行李，写迁居明信片上收信人的姓名地址。

结果写了一百三十张后贫血了。

九月二十二日

台风掠过关东地区，外面暴风骤雨。只好打开收音机，但风声怒吼，什么也听不见。

风雨声中，一个人默默打包行李。

纸箱已经超过了十个。

九月二十三日

继续打包。

冰箱里的东西都吃光了，餐具和锅也都装进了纸箱，所以就用便利店的便当对付一下。

纸箱十四个。

其他小箱多个。

为什么我会有这么多行李？新住处大了些，东西肯定还会更多吧。

本想尽量一身轻，可扔不掉的东西总在增加。看来下次不找“全权负责搬家的”公司一定搬不走了。

一个行李箱就能活下去该多好啊。憧憬着，却做不到。

九月二十四日

行李也收拾腻了，还有很多杂事，还要买东西，所以上午来到涩谷。

去西武百货变更了联名卡的住址，给现在的房东、新房东还有邻居买了礼品，还买了电视线、新房子用的餐垫，顺便买了秋天的夹克。

完全兴高采烈的我。

也看了些地毯和洗浴用品，但行李还没装完，不能一直这么买下去，午后离开了涩谷。

知道中午时分会拥挤，还是去了那家常去的荞麦面店。以后也许偶尔还来，但不会这么频繁了，想到这点有些伤心。新家附近也有好吃的荞麦面店就好了。

打包行李到半夜，结果纸箱到了十七个。

胶带都用光了。

九月二十五日

终于到了搬家当天。

紧张得都没睡好。九点过后，搬家公司来搬行李，我也帮着在房间和卡车间往返了许多趟。

不知为什么，每次搬家都会觉得搬家公司的男人看起来帅得厉害。迷人的不是长相或体型，一定是话少、干活又麻利这些地方吧。

行李全部装完，卡车走了，我打扫了下空荡荡的房间（一直觉得房间很小，可东西一没了还挺宽敞），把钥匙还给房东，顺便告辞。只住了一年以为可能会受到冷落，没想到房东说“工作加油啊”，感动。

赶到新住处去，等在那儿的阿柏已经和搬家公司的人开始往里搬了。转眼间全都搬了进去，和阿柏两人打开箱子整理。

两人都很累了，想吃点迁居荞麦面，便来到商店街随便进了家荞麦面店。阿柏要的是纳豆萝卜泥荞麦面，我的是炸蔬菜荞麦面。

喝了一杯啤酒，睡魔袭来，阿柏回去后，在满是纸箱和其他行李的房间里失去了意识。

醒来已是晚上，慌忙去一楼房东家拜访。

还没打扫粗粗拉拉的浴缸，只冲了个淋浴，就昏睡过去。

九月二十六日

早上起来拼命打开箱子。那么辛苦装进去又要辛苦地打开，感觉有点空虚，但又不能不做。做吧。

傍晚前有些厌烦，想吃点什么，去附近转了转，发现了一家看起来很素雅的荞麦面店。商店街的荞麦面店很好吃，但这家有些与众不同，味道特别不错。

找到了一家值得前去的荞麦面店，开心。

此外还有很多看起来感觉很好的小店，真的觉得搬来太好了。

一面想着长久住下去，另一面又考虑起下次去哪条街住，这样的自己有点恐怖吧。

比起这些，半个月左右没好好工作了，下个月起必须努力。

【十月】所谓的自由

十月十日

搬家时，以前别人送的计步器冒了出来。

当时觉得用这个跟老太太似的，连包装都没拆就塞进了抽屉，结果忘记了。现在忽然想戴戴看。因为前些天看电视时，有位老爷爷说他的健康秘诀就是“每天坚持走两万步”。我知道自己绝对赶不上健康爷爷一天的量，不过到底能走多少呢，想测测看。

我不用上班，虽然喜欢散步，可也就是在附近闲转，我想每天一定走不了多少。可测了一看，岂止是没多少啊。

今天从早上起来到晚上洗澡这段时间，我共走了九百九十七步。

上个月太过活跃，这个月相反，一直待在家里老老实实写稿看书，可就算如此，这也走得太少了。

顺便称了下很久没称的体重，吓了一跳。我总觉得全身无力，原来不是累，只是身体沉了而已……

十月十二日

《月刊角川》上连载的短篇决定收在一起出个单行本，朝这个方向给稿子添些内容，校对一下。原以为很容易就能做完，可一度作为成品发表的作品再修改，这工作既麻烦又耗费精力。

白天改稿，傍晚到深夜构思即将在杂志《小说昴》上刊登的短篇的框架。

下楼取报纸，今天只在三楼自己房间和一楼的邮箱间往返了一趟，七百四十五步。

感觉越干越不活动身体的工作也有点……

十月十三日

想出去走走，去了搬家后还没去过的最近的图书馆。

结果，我发现这家是迄今为止去过的图书馆里最大最气派的。这下可有好地方去了，高兴死了。不过是星期日，里面人头攒动，简直就像新宿的纪伊国屋书店。

因此我决定等平时人少的时候再去慢慢探险，只办了借书证就走了。这种时候觉得不在公司上班的自由职业真好啊。

在图书馆附近的公园散步，四千七百七十二步。

十月十四日

两个工作商洽和一个采访。

一家接一家，连着进了三家咖啡馆。

和人见面的日子尽可能放在一天，所以这种日子净泡在咖啡馆里，一个劲儿喝茶。

在公司上班时，每天理所当然地与人见面，从没觉得怎样，但做了这份工作后，我却对“和人见面”这事疲惫不已。

我不讨厌见人，也不头疼商洽或采访，只是这几年下来一个月中大概有三分之二的时间，早上起来后到晚上睡觉前我都是独自一人工作吃饭。这样一来，因为长时间静寂沉默，当然会情绪低落，衣服头发也散乱不整。

有事要外出见人的日子，即便约好的店就在附近，我也得先换件衣服、梳好头发、画个淡妆，把自己切换到“外出模式”再出门。

结束商洽和采访后回到家，要是马上就能回到“一人模式”或“写作模式”，那什么问题也没有，可一见人说些话，情绪就很难恢复到平常状态。打开文字处理器精神也无法集中，工作停滞不前。

因此现在我把日子分为“化妆的日子”和“不化妆的日子”。不化妆的日子最多去趟便利店，就算看见认识的人也可以若无其事地躲起来或逃走。

刚才说过见人也好，商洽采访也好，我并不感到头疼，但其实最近在想，说不定自己真的非常头疼与人打交道。

我的手相左右完全不同，听说这好像表示性格有表里两面，我确实有两面性。这种事用不着引以为豪,可对自己的这种表里差别，我有时也觉得无奈。

有时脸上笑着，心里却在想“你这家伙，等着瞧”。恋爱也是如此，开始时伪装成善解人意的女人，到最后注定因不堪其苦而宣告失败。

而且自己是这样，便觉得别人也一定如此。

我的和蔼可亲、彬彬有礼，并不是为对方着想，而是守护自己的铠甲。我很怕在面前微笑的人心里也会想“你这可恶的家伙”，所以我的笑容也许只是为了不惹怒对方。

庆幸的是，我并非总是对谁都这么想，但的确有些地方想得太多（正因如此才写小说吧），所以仅是与人见面就累了。

不过，这世界上还是有见面聊天也不会让我感觉累的人，与这样的人相遇并成为朋友，我才会再怕麻烦也强忍着外出吧。

今天有篇稿子要截稿，到家后赶快卸了妆、洗了澡，硬把外出模式剥了下来。

最好的办法是睡上一觉，但没有那么多时间，只得强行转换到写作模式。仍然毫无进展。

三千零三十七步。

十月十六日

早起洗衣服、扫除，修改单行本的书稿，写短篇。

鼓足干劲要在白天把工作做完，是因为三鹰先生说晚饭请我吃河豚，顺便有事商量。

说出来很让人惊讶，今天可是我有生以来第一次吃河豚。

我从没特意回避过，但不知为什么，到现在为止一直没有吃河豚的机会。

严格说这倒也不是真正意义上的第一次，还在公司上班时好像有次忘年会上有河豚砂锅，可我加班去得晚，到店里时最后一道用锅底做的汤汁煮饭都已经做好了。那个汤汁煮饭好吃得一塌糊涂，所以我想河豚也一定很好吃。

河豚果然好吃。对得起它的价格。

但若以为作家这职业，总是、总是能让出版社请吃好吃的，可就大错特错了。

这种作家倒也有，但我是“真的偶尔”。

我没在销售业绩上为出版社作出过贡献，而且没缘由地总让人请客吃饭也会觉得欠人情，心里不安。

但“真的偶尔”的话，有人请客吃饭还是高兴又开心。

总用出版社的钱吃美食的人，其实是编辑。

不过，他们虽然经常能吃到又贵又好的东西，但更费心劳神（有时也会碰上完全不劳神的人）。

承蒙对方费着心花着钱，吃得饱饱的回了家。一千零七十一步。

十月十八日

一整天都闷在家里写小说杂志上的短篇。人家请的河豚也吃了，所以今天无论如何都得写完。

半夜终于完成，昏倒般大睡。

忘了戴计步器。

十月十九日

早晨起床后又重新读了遍稿子，改了些细小的地方发传真。

发完后是上午十点，今天一天干什么呢，我发起呆来。

一份工作结束后，我都会像这样有一段时间茫然若失。偷懒一天无所事事谁也不会生气，一刻不休投入下一份工作谁也不会褒奖。

所谓自由职业就是这样，工作怎么做随你便，不做也随你便。和《劳动法》全然无关。

因此同行里既有毫不懈怠一篇接一篇总在写稿的人，也有一个月只写十页的人。

我怎么说呢，或许不算是多产的作家。

我知道自己要是再略微有效运用时间、集中精力写稿，会出更多、更多本书，可很多时候还是会没缘由地发呆。

但想一想，我从孩提时起就常常发着呆度过一天又一天。

做这份工作最大的原因之一也是在此。时间被别人管着，我会特别难受。

逃学去公园或是人少的商场屋顶，只是晒着太阳发发呆，那日子曾是我的最爱。步入社会后我却失去了这种时间。

以前在哪儿也写过，在公司工作的自己就像是“水族馆的海狮”。也许因为我是新人，所以绝大部分工作都是帮上司的忙或打杂，我没办法不去想自己和哨音哔地一响就条件反射般跑去顶圈或拍手的海狮有什么区别。一想到工作就是要在某种程度上把时间和意志交给他人，我郁闷极了。

知道为此郁闷是我任性，但这种从周一到周五、从每天清晨到深夜都在公司度过的人生，我觉得好烦。甚至想，我的人生不是这样的。

一个人只是发发呆的时间，我还想要更多。做什么才好呢？成为专职主妇是一条路，但我觉得那种身份和自由相去甚远。而且我也不是不想工作，只不过想尽可能按照自己的意志来做。

考虑了种种后，我发现了写小说的工作。这样我肯定可以三百六十五天每天二十四小时都在自己喜欢的时间里做自己喜欢的工作。

因此，一个人发呆的时间是我的珍宝，我不想为了辛苦写小说连这都毁掉。

世上的作家里，有日日生活都如小说般的全身心型小说家，但我似乎不是这种类型。

以前读一篇采访护士的报道时，曾看到这样一句话：不是我是护士，而是我的职业是护士。啊，我觉得自己的立场与之很像呀。

我凭写小说挣钱，方便起见被称为作家，但其实不是我整个人是作家，而是我的职业是作家。

但护士即便不当班，面前有病人也不能坐视不管，同样我也把日常生活中发生的琐事当作写小说的食粮，这样无论做什么，大脑中的某个角落都在考虑着小说。但就像护士在工作时间之外就不再是护士，我也需要“是作家而又不是作家的时间”。

这种事情本不值得特意提出来，当然如此啊，但如果不充分意识到它的存在，就连这点宝贵的发呆时间，也会容易让我有种“旷工”的罪恶感。

有这些原因，所以趁着今天天气很好，我打扫了房间、洗了衣服，去附近散步还去超市买了东西，之后就在床上窝着，发起了呆。

三千五百零五步。

十月二十日

早晨起来洗完衣服后，一直修改单行本的书稿。

今天的工作比预计的完成得早了些，躺在床上看喜欢的书看到傍晚，然后随便做了点饭吃。

晚上打开电视，结果每个频道都在播众议院选举的结果快报，没劲。想起有盘借了一直也没看的录像带《疯狂终结者》，便喝着啤酒看起电影。

这是我非常标准的一天。

同样的日子，迄今为止我都过了几百天，今后也会这样过下去吧。

我标准的一天是六百六十八步。

十月二十一日

昨天走得太少了，今天想多走一走，决定去新宿刚开张的高岛屋时代广场。

周一的一大早就能去逛空荡荡的百货商场，这也是自由职业者的幸福之一。

可没承想，刚开业的商场大早上就拥挤不堪。

我本来都打算好了，十点开店后好好逛逛，十一点半左右到颇受好评的台湾点心店去吃略早的午饭，可不到十一点那家台湾点心店就排起了长龙。

在地下的副食卖场垂头丧气地买了便当回家。

七千七百九十五步。

十月二十三日

昨天单行本书稿的修改终于结束，我决定今天一天都要做自己喜欢的事（话虽如此，其实我每天都只做自己喜欢的事），一个人去看场电影吧。

有三四部都想看，一番苦恼后选了国产电影《燕尾蝶》。之后去看个人画展，还在商场买了点东西。

开心是开心，可太过自由又有些迷茫。

一直在做的工作结束，时间一下子空下来，随自己喜欢逛着逛着街，有时会忽然不安起来。

比如现在这一刻，即便我决心要放弃工作，既无需提前告诉任何人，也无人有权力阻止。只是不会有退休金，也拿不到失业保险。

在公司上班时我并不知道，这种没有归属的感觉是那么沉重。

这个圈子真是不可思议，写本书或在杂志上连载时，偶尔双方也会签合同，但基本上都是口头约定。

而工作结束拿到那份报酬，一切也就结束。想一想，这种生活和连着打短工的自由职业者完全没有区别。工作的间隙想休息多久都是你的自由，但谁也不会给你任何保证。

再加上我还是单身，还一个人生活，所以是名副其实的完全自由。

一切都做自己喜欢的就好。可以不断挑战想做的事，可以重返校园，可以看喜欢的书看到清晨，也可以喝酒到清晨，还可以踏上流浪之旅。想想看，十多岁时梦想的生活就握在手中。

这么一想，我又觉得特别高兴、开心，真幸福啊。但实际的生活和我憧憬的自由随性的生活略有不同。要想惬意地度过自由的每一天，其实最重要的是自我约束。

记得从前某位伟大的哲学家说过“人注定要受自由之苦”，是谁来着？

四千七百三十七步。

十月二十五日

办事加购物，早上就到了涩谷。

转了一整天，筋疲力尽地回到家。今天走了一万零九十八步。

一万步就累成这样，一天走两万步的健康爷爷太厉害了。

到了晚上浑身没劲，量了下体温，三十七度五。只走了一天就发烧的自己还真是可怜。

十月二十六日

妈妈在上英语会话课，他们的老师要办万圣节派对，受邀请前往横须贺的美军基地。

我完全不会英语，能被邀请颇感意外。我不喜欢很多人参加的派对，最开始不太情愿，但能进入美军基地住宅区的机会很少，我也想见识一下正宗的万圣节派对，所以还是决定参加。

结果，远超出想象的精致布景和美国人的全副妆扮让我惊叹不已。

派对上美国人和日本人大概一半一半，共五十人左右。日本人穿的像是东急手工店买的廉价化妆服，美国人则多妆扮逼真。吸血鬼有三个，每个都是真正的晚礼服加披风。

会说英语的日本人比我想的要少，日美双方多是自顾自说些应酬的话（当然对方听不明白），吃着各自带来的寿司、三明治还有蛋糕。主办方也做了很多菜，感觉像是个高级家庭派对。

而最让我惊讶的是，妈妈英语课的同学平均年龄都在六十岁上下(还有好几位七十多岁的)。虽是老年班,但日常会话他们都能说，直是令人敬畏的文化教室。我不由得敬服起这些叔叔阿姨。

开始还觉得挺新奇挺有意思，但不喜欢派对的我还是中途就烦了。

好容易有个美国男人跟我说话，却沟通不畅，伤心。也许会产生爱情的火花呢。

忽然认真地想，学学英语吧。

回到父母家看了计步器，一万零三百八十三步。连着两天走了一万步以上，筋疲力尽。没体力啊。

十月二十九日

为庆祝我搬家，惠姐送了一个涮烤两用电火锅，今天用这锅请阿柏和香川来开火锅派对。

这两个在出版社工作的人说是有工作要赶，晚点才能来。惠姐和我一边感叹还是作家清闲，一边喝起了啤酒。

两人来时，我已有了醉意。大家吃着肉，气氛好不热烈。尽管火锅已经把肚子填得饱饱的，但她们带来的甜点还是被我们大口大口消灭了。女客人一看我洗碗就赶快过来帮忙，让我轻松许多。

一直聊到很晚，电车马上要没了大家才回去。

我喜欢一个人，没有一个人的时间我会觉得像缺氧一样，但这种时候还是会觉得好寂寞啊。

一个念头掠过脑海，也许有一天我会想，别再一个人了，和谁一起生活吧。

【十一月】爱和酒精的诞生月

十一月一日

我是十一月出生的，一到这个月就会莫名欢喜。

借着这高兴劲头，决定今天起接着写一直搁置的长篇小说。

说是接着写,实际上才写了八十页。我打算写成四百页篇幅的，这样算来才五分之一而已。

重新构思了框架和出场人物，再次从第一页写起。其实原本计划今年年底完稿的，但怎么想都不现实。

“我又不是偷懒了。”自己跟自己辩解着。今天只重写了开头的八页。

十一月二日

上午写了点稿子，下午去看舞台剧《严流岛》。好久没看舞台剧了，真有意思，看得很开心。

同去的朋友今天过生日，所以晚饭去吃中国菜。

不知道是否和自己出生在这个月有关系，我有很多十一月出生的朋友。如此一来大家很自然地一起开生日会，每年这个月都有很多喝酒的机会。

今天喝了啤酒，喝了杏酒，还喝了红酒。

我没什么讨厌的酒，只有吃中国菜时爱点的绍兴酒不太喜欢。倒是以前别人请客喝过一次不是瓶装而是坛装的，要用酒提舀着喝（当然特别贵），那次的非常好喝。

琴酒和烧酒稀释一下，我觉得味道不错，很少不加东西直接喝。以前觉得日本酒这东西哪儿好喝啊，但最近品出味道来了。

我常喝的有啤酒、葡萄酒、朗姆酒。啤酒一段时间钟情于惠比寿、图堡等口味淳厚的品牌，现在反之，喝的是味道清淡的美国啤酒。葡萄酒正相反，现在觉得干红比干白更好喝。不过我喝的酒都不贵，我喜欢随便喝点哪儿都有卖的便宜酒。朗姆酒是美雅士或雷鬼朗姆，这两种都又便宜又好喝。

至于喝酒后与平时相比会有怎样的改变，我还不太清楚，会更开朗些倒是事实。

还非常年轻时，一喝醉就会渐渐感伤起来，曾觉得自己也许是那种一醉就爱哭的人，但现在很少陷入这种情绪。

只是有时太开心幸福，就希望永远停留在那份心情里，觉得回到家很寂寞。这种时候便忍不住拉着朋友继续买醉，结果次日极其难受的宿醉多让我后悔不已。

我虽然喜欢喝酒，但真的没想喝那么多。

希望能再多一点时间停留在快乐里，不舍得分别才一次又一次续杯。其实或许喝咖啡和乌龙茶都可以。但光喝咖啡，对方又不是恋人，一起待上几个小时很不自然，结果不知不觉就喝了很多酒。

十多岁时光喝茶就能和朋友闲聊几个小时，而成年人做什么都需要借口。这种事，我有时会觉得很不舒服。

十一月三日

从早上起一直、一直写稿。

晚上着实累了，随便做了点饭，洗了个澡。有瓶刚开封的葡萄酒，喝了些，睡觉。

十一月四日

上午工作，下午为看 SPITZ 乐队的演唱会去了甲府。

跑去甲府，是因为东京各地的票都已售罄，说是那里还有位子。从新宿坐特快也不过一个半小时，而我也有点事要去一趟。

演唱会在晚上，我坐的是下午早些的特快梓号，带着旅行般的心情，还喝上了啤酒。一坐特快就不由自主想喝啤酒，也许是很大叔式的想法。

到了甲府，立刻前往目标 K 书店。那家书店的店员里有位我的热心读者，听说竟为我设立了专门的书架。几个月前，说想请我手书一块牌子立在那儿，我兴冲冲写了一个，便一直想去看看牌子是不是真的摆上了。

真有“山本文绪一角”吗？我心里扑通扑通的去了一看，竟然真的有！

我不是什么畅销作家，竟为我专设一隅。真的真的很高兴。

SPITZ 的演唱会非常棒，不虚甲府之行。

十一月六日

今天是“化妆的日子”。

结束了两个商洽后，去了西麻布的一家和食屋，参加《月刊角川》连载的庆功会。

与同行前辈还有出版社的几位一共六个人吃吃喝喝。我平时再多也不会超过四个人一起吃饭，说实话有些累。不过饭和酒的味道都很好，而且气氛没想到竟很热烈，结果又喝到了半夜。

最后就剩下我和阿柏两个人时，终于松了口气，一起坐出租车回家。

我坐深夜的出租车一般都会晕车，今天和阿柏说着话，倒不要紧。

十一月七日

宿醉。

在床上懒到午后，忽然听到争吵声。像是公寓的哪个房间有夫妻在吵架，声音渐渐大起来，没想到就来自隔壁。

我并没特意竖耳朵听(不对,实际上是竖了)。吵架越来越激烈，愤怒的争吵声透过薄薄的墙壁传来，声音断断续续。似乎两人是未婚同居的情侣，相互宣泄着一直忍耐的不满。

假如这是电视剧，此种类型的吵架未免太过常见，或许还会觉得很乏味吧，但现实中的争吵却相当让人心跳加速。

明知不礼貌，还是兴奋地听了一会儿。过了一个小时、两个小时，两个人仍然吵得很激动。真有体力啊，佩服。

我讨厌吵架。

很少会有人喜欢吵架吧。对我而言没有比吵架更累的事了。

这是说我不跟别人吵架吗？恰恰相反，我吵得还不少。

活到现在，吵得最多的对象是妈妈。但都在学生时代集中吵完了，现在已是吵也吵不起来的状态。

我已长大成人，经济上暂且自立，这让彼此都从对方那儿得到了自由。向父母要钱花时，女儿还那么任性，妈妈当然会被激怒。现在没有了这层关系，似乎很自然的，我就是我，可以“爱干什么干什么”，妈妈就是妈妈，觉得女儿“随你便吧”。

但是现在，我终于可以坦率地承认很怀念挨骂的日子。我并不想回到过去,只不过因为在外过夜(只不过,不是吗……)就挨一巴掌，我可受不了。但现在是无论多少天不回自己家，也没有人为我担心。我明白对那时想干什么就干什么的我，妈妈并非只是担心才生气。

我想妈妈也许有一点恨我吧。但这正说明了她和我这个人息息相关。

不是息息相关，就不会有争吵。

不能说就是这个原因，但我的恋爱多会以剧烈的争吵告终。

与同性朋友，我不吵架。与一起工作的人，一般也不会吵。因为在引发争吵前会冷静地协商解决，或是想明白每个人想要的不同，有舍才有得，从而巧妙地避开冲突。

而且，与同性朋友或工作上的熟人关系恶化或都感到疲惫时，可以保持一定距离。怒气大抵会被时间冲淡，而且向那人诉诸无效的请求可以转向其他人。

然而，这道理在恋人处却很难行得通。

我想一定是我对恋人要得太多吧。

如果我要的只是某件礼物或昂贵的晚餐，事情就简单许多，但我要的却不是这种有形的东西，而是类似“牢固的羁绊”。

所以，那些本可以听了就过去不必深想的事情，我却死钻牛角尖，终致大吵。

我希望能把与朋友交往时的彬彬有礼也用到与恋人的相处之道上。从心底希望如此，却无法做到，有时真的很讨厌自己。

但是，要说对吵架这件事后悔，真的一次都没有。

吵架很痛苦，但无法吵架的关系更痛苦。

比起害怕被人讨厌、小心翼翼满面笑容地活着，倒不如把想说的话说出来被人讨厌更痛快。

隔壁的同居情侣到了傍晚还在吵个不休。

酒也醒了，吵架也听够了，盼着他们差不多就安静下来吧，但看样子还会继续。即便对着文字处理器，一墙之隔的那边在哭着喊着，工作真是做不下去。

没办法，出去买了东西吃了饭。回来时看到隔壁房间门前晄当摆着个大旅行包，有一方要搬出去了吗？我再度紧张起来。

偷听别人吵架，也不清楚结局如何。一天就这样结束。

十一月八日

朋友说为我庆祝生日，请我吃了烤肉。

本没打算喝那么多，可结果又是大醉。讨厌意志薄弱的自己。不过算了，生日之月嘛。如此又纵容了自己。

十一月九日

果然还是宿醉。

喝醉了就兴奋，想到昨晚又唠唠叨叨多话了，情绪低落。

十一月十日

和香川去看了喜剧演员本间茂的现场表演。

以前在电视里看过一些，觉得太逗了，就成了他的粉丝，之后每次有现场表演都会去看。

时隔很久的表演超出期待地搞笑。而且，表演中有个给观众席分发啤酒的环节，想着“我要喝、我要喝”，结果真的拿到了。带着对周围人的歉意，边喝啤酒边看表演。

结束后，因为香川不会喝酒，所以一起吃了蛋糕。

其实表演开始前，我们已经吃过分量十足的意大利菜。

再怎么说也是有点吃多了。

十一月十一日

发现答应别人的文库本书评快到截稿日期了，匆忙赶工。

哪儿也没去写稿写了一天。睡前开了瓶别人给的红酒喝。不喝的时候两三周都滴酒不沾，可喝起来又会顺势像这样每天都喝。

我很喜欢在家一个人喝酒。

先把房间打扫干净，再准备好新洗过的浴巾和睡衣，泡个热水澡，认真地洗干净头发和身体，一身清爽后悠闲地看着电视喝着冰镇的酒，这是我现在生活里最放松的时间。

这种时候不管喝多少，心情都绝不会悲伤或寂寞。

只是非常坦诚、单纯地认为，多幸福啊。

有份工作，朋友不多但有几个亲密的，没有特别大的烦恼，房租、饭费还有买酒的钱暂时还不用担心，我真的觉得多幸福啊。

也许因为几年前的我没有钱却有很多的担心和烦恼，所以现在格外觉得幸福。

十一月十二日

上午就去了新宿的高岛屋时代广场。本想人差不多该少些了，可哪里少啊反倒更加拥挤，吓了一跳。

先看了看冬季的大衣（打算打折时买），又在手工店印了贺年卡，去纪伊国屋书店买了一大堆书，到高岛屋的地下买了辣白菜。

回到家，儿时的好友小优寄来了生日礼物。我的生日她年年不忘，都会送我点什么。

十一月十三日

今天是我的生日，三十四岁了。

这几年，生日当天都是一个人在家过。

当然不是为了静静地思考走过的路和将来的旅程，只不过没人约我而已。

常跟朋友和熟人不厌其烦地说，今天 SMAP 的木村拓哉也过生日。知道这件事以来，我每年都会独自感叹“此刻木村玩得正 HIGH 吧”。而去年知道了那位见荣晴也是同一天的生日，便生出一个绝佳的主意，即设法与见荣晴君相识，以后每年一起庆祝生日，但见荣晴好歹（对不起对您用了这个词）也是艺人，为其庆祝生日的人还是有的吧，结果又擅自退缩了。

惠姐傍晚打来电话说“一起去喝一杯吧”，被人如此体贴，不禁哭了。没有了，其实并没哭。

很高兴，但还是想一个人待着，所以心意领了。洗完澡后喝了啤酒，今年也同样念叨着“木村玩得正 HIGH 吧”入睡。

十一月十五日

去参加出版社的聚会。

似乎说过很多次，我不喜欢派对，但哪怕一年一次也还是到出版社的大型派对上露个脸好，出于这种义务感，这家帮我出道的出版社的年度派对我会尽量参加。

不过，还是觉得痛苦，一年比一年更甚。这么说也许有人会觉得我摆架子，实际上的确很不谦逊吧。

以前会有种义务感，觉得与出版社的人或同行应该走得再近些，但今年真是觉得算了吧。

以前我也想不明白，我不是怕生的小孩，也喜欢喝酒，为什么会觉得派对这么痛苦呢？这次隐隐约约明白了一些。

比起现在，以前的我更加、更加是个无名小卒，去了派对也几乎没人认识我，无奈只好吃吃喝喝，但其实那时我精神上特别放松。

做这份工作已将近十年，派对上认识的人越来越多，这成了痛苦的最大原因。

总而言之，无法集中精力交谈。就算正在和谁聊着，也会有人来和你说话。同样，看到认识的人在场自己也得想着去打个招呼，不喜欢的人见了又要装作没看见。这一点别人也一样，以前也有关系还不错的人很明显地对我装作视而不见，从我面前走过去。

好累啊，这样。我知道是自己太在乎了。

不想就这么心情灰暗地回家，跟着大家去喝了第二家、第三家，心情非但没转晴，反而愈加消沉。不知不觉又喝了很多酒，大醉。

我一般喝了酒后不会心情变糟，只有派对时例外。

今后除了好朋友办的小型派对，其余的都不再去了，我发着誓上了出租车。预料之中，独自一人在深夜出租车上又晕车了。

又恶心又消沉，我悲伤起来，回到家便给觉得还没睡的朋友打电话骚扰。

让自己夜半伤心的酒别再喝了，都这么大人了。午夜在自己的房间里反省。

十一月十六日

总觉得心情还没放晴，所以一个人去看场电影宣泄一下。梅格·瑞恩的《生死豪情》。

平时的话看这部电影哭不出来，但因为情绪正低落，结果哭了。

要是跟别人在一起会觉得特别丢脸吧，但一个人，坏心情反而一扫而光。

我一般不会忍着不哭，却也不是不分场合地呜呜哭泣。一个人哭不会给别人添麻烦，所以我很容易就低声抽泣起来。

有点像受虐癖，但我觉得哭一哭还挺开心的。

十一月十七日

那次以后，隔壁的情侣常会吵架。

不管是深夜还是凌晨，两个人都会大声相互斥责，男方似乎还有些暴力倾向，连毫无关系的我也会跟着心惊肉跳。

我很能宽容情侣吵架，却希望这一对要么快点分手要么快点和好。

刚这么想完，今天晚上，不知是不是来了朋友，隔壁房间竟传来了开心的笑声。耳朵贴在墙上听了一下，好像还在涮火锅呢。

也许是暂时休战，但听着那似乎关系融洽的笑声，倒是松了口气。

我对着墙祈祷："别再吵架了啊。"

十一月二十日

和电影之友早苗去看电影。

李察·基尔的《一级恐惧》。

好像和早苗一起总倾向于看回味不好的电影,之前的《摇啊摇,摇到外婆桥》，还有再之前的《七宗罪》都是如此。这次的电影也很有意思，却称不上回味愉快。

看完后为了摆脱这种不好的感觉，总会和早苗喝很多酒，但今天她胃不舒服，不能喝。

听医生说是因为精神压力大。每次见面都那么开朗的早苗，结了婚又有工作，当然也会有很多烦恼，比周围人想的辛苦许多吧。

早苗说啤酒的话可以陪我喝点，但我拦住了，还是不喝的好。

简单地在意面店吃了意大利面，喝了茶。我们笑了，简直像女孩子一样。哎，就是女孩子呀。

我们相约等胃好了再来暴饮暴食，然后分了手。

十一月二十一日至二十三日

集中精力写稿。

几乎没和任何人说话，只对着文字处理器。

脖子和肩膀还有后背硬邦邦的。

十一月二十四日

早起埋头写稿，傍晚前今天的任务量完成。

明天要去京都旅行，兴高采烈地收拾行李。

高中时的好友因丈夫调动工作搬到了京都，她说，你来玩呀，结果我还真想去了。

单身女子的红叶京都之旅，感觉像是受了JR广告的蛊惑，不过确实如此，无所谓了。京都虽然去过几次，但秋天去还是第一次。

最近都没有像样的旅行（也有声音说，去得够多了），所以旅行的小虫又躁动不安起来。

我喜欢一个人旅行，但最喜欢的还是有认识的人住在当地，请他陪我玩一天。完全的孤立无援着实寂寞，但要全程热情接待，我又很压抑。稍稍陪我玩一下，剩下的时间随意，这样最好。

把睡衣、化妆品还有些小东西都装进了旅行包，忽然想也许我最喜欢的还是旅行前的这种感觉，爱它更胜过旅行本身。

我的旅行最长的不过十天，想着什么时候踏上一次更长的旅途。

十一月二十五日至二十六日

早上早早起床（这种时候我能早起）去东京站。买了便当，坐上希望号。坐新干线时，还是便当加啤酒吧。

这是我第一次坐希望号，两个半小时转眼就到了京都。

与高中时代的朋友照子久别重逢，愈发兴致高涨。今天请她做向导，我们先去了以红叶闻名的东福寺。

我曾以为京都的红叶就是普通的红叶，只不过与寺院相称，景致略微素雅些，结果大吃一惊。京都的红叶与东京那些公园里低调变红的红叶相比，颜色完全不同，带着透明感，又略微加了些金色，恰似把针叶樱桃汁对着太阳映射出的颜色。

照子带着感动不已的我去了她推荐的年糕红豆汤店，吃了年糕红豆羹。特别好吃，再次感动。

之后去了约好的清水寺还有祇园。晚饭是在先斗町吃的，吃着小菜，喝着酒，气氛又是好不热烈。

照子结婚才一年半，在横滨出生长大，因丈夫调动工作到了没有熟人的关西努力生活。她好像和丈夫关系非常好，令人欣慰。最近听到的净是关系糟糕的情侣，所以看到融洽的夫妇很是松了口气。不禁叮嘱她，要永远这么好啊。

吃过晚饭喝过茶（话说回来，以前曾有位男士觉得很不可思议，女人为什么喝完酒后要喝茶呢），与照子告别，入住酒店。

这家老酒店我以前一直就想住住看，要的是单人间，可到了一看竟是双人房单人用。很宽敞，开心。

我特别喜欢酒店，之前住在横滨时本来完全能够当天回去，却偶尔还是会入住东京都内的酒店，定个单人间。有时也会像这样，能以单人间的价格住上双人间。房间大自然高兴，但最高兴的还是可以用很多新洗过的毛巾。

在家里，浴巾和面巾只用一回就洗太麻烦了，而酒店的毛巾即便都用了，第二天还会送来新洗过的，这让我很开心。用干爽的毛巾包住脸和全身，真幸福啊。

但以前去海外旅行时（记得不是香港就是洛杉矶），酒店挂毛巾的地方写着“水与清洗费不容小视，请不要滥用毛巾”，看到那句话我觉得特别抱歉。尽情享用刚洗过的毛巾，原来是很奢侈的事。

酒店的房间很干燥，睡前在浴缸里放满热水，房间的湿度便会很不一样，这是一位年长的朋友教我的。

钻到浆得笔挺的被单下，很久没好好走路的脚又酸又痛。

第二天，决定闲逛一天。

著名的寺院都很拥挤，所以起了个大早，一早就逛起寺院来。

不愧是早晨，几乎都没有人，南禅寺和永观堂（广告里那位回头看的阿弥陀佛所在的寺院）都细细看过。因为平时不怎么走路，到中午时分脚就累得不行，在照子说“绝对要在这儿吃午饭”的乌冬面店吃了乌冬面（超好吃），打车回酒店，午睡了一会儿。

这种时候就能体会到独自旅行的幸福。一个人，所以谁也不用问，想休息的时候就休息，想打车的时候就打车，想午睡的时候就午睡。

起床后叫服务生送了杯咖啡（在东京不会做这么奢侈的事），给朋友写明信片。我喜欢收到别人在旅途中寄来的明信片，所以自己旅行时要是有时间也多会用来写明信片。

以前有人说，一收到旅途中寄来的明信片，便会想到自己每天都在工作哪儿也去不了，游玩的人却寄来兴高采烈的明信片，看了心里很不痛快。听了这话我曾大受打击，但觉得也有道理，所以便注意不去写那些兴高采烈的内容。

傍晚前再次外出，转了一会儿寺院后，到河原町一带闲转。修学旅行时应该来过的新京极也走了走。

晚上就自己，所以想在房间里好好休息一下。在商场的料亭买了便当回去。喝啤酒、吃饭，好好洗了个澡，也许是因为起得太早，很快就困了。

想读的书只看了三页就睡着了。

结果半夜忽然电话响，我从床上跳了起来，是男朋友因为担心打来的。聊了一会儿挂了，看看表还不是半夜，才十一点。

浴缸里忘了放热水，干得嗓子直冒烟。从冰箱里又拿出一瓶啤酒喝。

【十二月】纵容我的人是我，紧逼我的人还是我

十二月一日

妈妈从横滨来玩。

十月的万圣节派对，有人拍了录影带，两个人看着请他帮忙复制的带子。

“只要拍到你，你就在喝酒！”

正如妈妈所说，录像带里我一个劲儿喝着啤酒。

妈妈给了我张商场的购物券，说是生日礼物。高兴死了，想买件平时穿的轻便大衣，去了新宿的高岛屋时代广场。

但现在商场里的衣服也太多了。

想在预算内尽可能买好点的，转遍了偌大两层楼的每个角落，累得筋疲力尽。

十二月二日

某化妆品公司的宣传杂志为了采访，整个采访团队（记者、编辑、摄影师）都来到了家里。

他们送我好多公司的化妆品，当作采访的谢礼。

我不是什么畅销作家，像这种采访只是偶尔，但有个问题是一定会被问到的，那就是为什么要当作家。

太频繁地被问及，我也习惯了，答案始终如一。在公司普普通通做员工时，觉得那份工作干得没有激情，想找一份可以全身心投入的工作。

这全是事实，没有一丝谎言。

但严格来说却略有出入。的确，我是因少女小说奖“深蓝小说大奖”出道，三年半左右的时间里，承蒙出版社的厚爱出版了十几本少女小说。

虽然说起来很奇怪，但我从心里热切地渴望成为作家，其实是在当上作家之后。

最初我是想，一本也好，在自己的人生中能出本书就心满意足了。但出了第一本后，出版社的人说还要帮我出第二本。接着第三本、第四本，终于著作超过了十本。

工作在继续，收入又很稳定，没有任何问题。我没有任何根据地朦朦胧胧觉得“会照这个势头一直走下去”。

但是，好势头却没有延续。渐渐地，书卖不动了。

以前三个月给我出一本书的出版社说：“以后请你四个月写一本。看销量，也可能会半年一本。”

既非文学少女，关于小说创作也没有好好考虑过，我碰了壁。当然也可以选择就此放弃，那时我也结了婚，又不是“于我只有小说”。也可以做别的工作赚生活费，然后按自己的节奏写下去。

但那时，我第一次从心底渴望要成为真正的作家。这份工作无意中开始，还没来得及深想就赚了钱，我对它还非常缺乏认识，但不写小说活下去，我已是无论如何都无法想象。

出道第三年，我下定决心：不再是为出版才去写小说，而是要写“自己的、有个人风格的有趣小说”，我要靠这个来吃饭。

之后到我真正能吃上饭，五年倏忽而过。即便是今后，也不知道什么时候又会吃不上饭了。

但现在的我不再那么害怕。因为我想得很简单：做什么都能活下去，而只要活着就能写小说。

我曾想，自己并非“于我只有小说”的类型，但到头来，我能做的事也许只有写小说。

也在公司工作过，也打过很多工，也曾结婚每天做着家务，无论什么时候都相应地努力着快乐生活。

不过，心里的某个角落还是会觉得不对。比如现在住的公寓，房租和环境都很适合自己，很舒适，但我不会在这里生活一辈子，什么时候还会搬家。同样，小说以外的工作也只是途经的车站而已。

写小说，我觉得是我最后的归宿。也会有写不出来的时候，或许也有移情别恋做其他工作的时候，但我不可思议地确信自己会写到死。

这是否就是幸福，却又另当别论。

我想住的家在这儿，我想挖的井在这儿，我想磨的石头是这块。曾经做什么都是迷茫，所以我很开心能拥有这份自然的坚信。

十二月三日

工作一整天。

中断了长篇，写要登在杂志《小说昴》上的短篇。前后历时两年的隔月连载，这次终于是最后一次了。

杂志连载绝对不能不遵守截稿日期，所以就连惰性十足的我也会按时完稿。按照计划，书也出版了，在这方面我觉得特别不错。

但是，怎么都感觉一次一次让人追着赶着。为了能按时交稿，总是倾向写些稳妥的或是短小的东西。

不过写了很多短篇后，也有意外的惊喜，那就是每一次短篇完成后都有成就感。一个月要是写三个短篇，那一个月就能有三次庆功会。长篇没完没了，痛苦延绵不绝，完成的喜悦仅此一次，而且还是半年或一年一次。做不下去了，真是的！

话虽这么说，但其实完成长篇的成就感是短篇远远无法比拟的，而且那份喜悦会永远、永远存在。

如果把短篇比作一夜的温泉旅行，那长篇也许就像欧亚大陆的搭车之旅。

温泉旅行随时都能轻松起程，但留不下多么深刻的回忆。还是偶尔想砰地来一次盛大的旅行，虽然辛苦，但向猿岩石[①]学习，我也要加油！

---

①猿岩石，日本搞笑组合，曾出演《前进！电波少年》，历时6个月由香港一路搭车到伦敦。

十二月五日

短篇航行遇阻。温泉旅行看起来轻松，但有时也会迷路。

十二月十日

短篇完成。

要打印时结果打印机坏了。必须一页一页手动打印，真累。

十二月十一日

忘年会之一。

和阿柏还有角川的H君，去以前去过的那家西麻布的和食屋。

那天H君刚请一位算得很准的名人看过手相，兴奋地说自己的过去还有现在的烦恼都被说中了。接着，他看了看我的手相说：“啊，山本，离婚线！”

以前对算命或是手相这类事情都不太信，但听着听着，我也想请那位名人给看看手相了。

年轻时，以为自己的问题自己就能解决，但随着年龄增长，感觉单凭努力解决不了的难题却越来越多。近来，有些懦弱。

十二月十二日

忘年会之二。

三鹰先生又请我和惠姐两个人吃河豚。

一家位于银座街看起来贵得一塌糊涂的店（实际也一定很贵）。

太好吃了，不觉涌上一种罪恶感。天生的穷命。

十二月十三日

为了找长篇的资料，早起就去了图书馆。

资料很快找到了，但溜溜达达地看看书架、读读杂志，在图书馆的食堂吃了个午饭，又在沙发上看看书，三点吃了蛋糕喝了茶，继续看书，不知不觉竟到了晚上。

心思宁静的一天。这种日子，会非常幸福地入睡。

十二月十七日

零零星星，明年的工作安排也开始来了，也就越来越频繁地翻开明年的新记事本。

曾有一个时期我只买活页记事本的活页更换，但总觉得心情无法焕然一新，便放弃了。新年伊始还是想用崭新的记事本，所以这五年来每年都是买同样大小的记事本换着用。

我还在记事本上记日记。

我的日记史开始于初中三年级，也曾有段时期没坚持，但这十年几乎一天不落。不知为何，这么一说，有时别人会觉得很可怕。

记事本上面记着诸如去了哪儿、做了什么等具体的事，记事本的小格子里写不下时就写在笔记本上。笔记本用的是活页本，从几年前一直沿用到现在。

今年在那本私人日记的基础上，又加了这本出版（！）用的。我曾想或许会挺痛苦的吧，结果完全没问题。我似乎爱记日记爱得异乎寻常。

说实话，写小说很痛苦，坐在文字处理器前很多时候会很烦，但不知为何，写日记却完全没问题。

即便是写了一整天的小说筋疲力尽，一关掉文字处理器的电源翻开记事本或笔记本的那一刻，我也会满心雀跃，连自己都觉得真厉害呀。

真正开始写日记形式的东西是在初中三年级左右，但之前从小学五年级起，我就时常把想到的事记在笔记本上。

但那既不是日记，当然也不是小说或诗歌，只是把喜欢的男孩子或是有关老师和朋友的坏话用幼稚的语言记录下来而已。儿时的我，便已把无法说出口的话诉诸文字来寻求安慰，寻求心理的平衡。

这点在成年以后的现在也没有改变。

私人日记里，还是记着些幼稚的、支离破碎的事。有些已故作家的日记会出版，但我的哪里是可以出版的状态。一味宣泄任性自我、有时又歇斯底里的感情而已。

但这对我而言，是小憩和疗伤。

成年后，无法说出的真实想法更是小时候的多少倍，很多时候又要压抑自己的感情，所以至少在谁都不给看的日记里，我想自由地把所思所感化成语言。

我有时对自己的感情很没有自信。生气时会想“为这种事生气可以吗”，悲伤时也觉得“因这种事闷闷不乐很没出息吧”。我也知道，如果一味这样压抑自己，压力很容易堆积，感情也会慢慢转淡。

情绪对我而言是很重要的谋生手段，而且喜欢的东西就是喜欢，生气的事情就是生气，悲伤的事情就是悲伤，至少我想让任性的自己活在日记里。

今年的记事本翻回去读了读，好家伙，写的净是很自我的事。但写得越感性，过后读来就越有意思。

十二月十八日

接着写长篇，傍晚出了家门。忘年会之四。

一家很小的法式餐厅里，和某出版社的两位用餐。这还是第一次和他们悠闲地聊天，其实还挺紧张，不知该说些什么好。但一聊到旅行，这两位的经验都特别丰富，聊得好不热闹。

年轻女子K说，要是能买到票的话，新年假期要去婆罗洲看野生的红毛猩猩。

婆罗洲？野生的红毛猩猩？

听到这儿旅行的小虫又开始躁动起来。但在写长篇，而且又有很多琐碎的活，一段时间内哪儿也去不了。（后来，收到上海寄来的明信片。“没买到去婆罗洲的票结果就到这儿来了。”新年……上海……）

十二月十九日

在家埋头工作。

读坂东真砂子的《山妣》。太厉害了。

十二月二十日

开始写贺年卡。

有人会说这纯粹是种负担，该放弃了，但我既喜欢收贺卡也喜欢寄贺卡。

这种事上，肯定每个人都有自己的原则。但曾连着给某个人寄了两三年贺卡也没有回音，为这种事生气似乎是好心不成就转为怨恨，但还是会怒上心头。

这种人，我也会嘟囔着扔下句“抱歉迄今为止给您添麻烦了”，把他从名单中划掉。

不过，此人也一定不会发现我不再寄贺年卡了吧。

十二月二十一日

觉得有些冷，量了下体温，三十八度。

感冒的一天。

嗓子疼，不管睡多少还是困。为什么我这人这么爱感冒呢？

上周买的圣诞红，水浇多了，没到圣诞节就枯掉了。

好像我的爱在很多意义上都太沉重。

不知道是不是身体原因，有些消沉。

十二月二十四日

睡了十二个小时还多，终于睁开了眼。烧退了，但还是迷迷糊糊。

什么都不想做一直躺到中午，肚子饿得不行起了床。冰箱里空空荡荡。

忽然想吃麦当劳的麦香鱼，去了徒步五分钟的那家麦当劳。对着吵嚷的小学生们生气地吃着麦香鱼，忽然想起今天是平安夜。

当然没有安排。这几年平安夜我也是一个人。当然不是我要独自静静思考走过的路和将来的旅程，只是没人约我而已。

不过，平安夜即使一个人，也不再像二十几岁时那么寂寞。到了这个岁数，似乎也一点点对圣诞病毒免疫了。

漫长的人生中，既有一个人过的圣诞节，也有两个人或很多人的圣诞节。

但是，平安夜喧闹的麦当劳里又感觉格外寂寥。

回到家，又发烧了。看了《电波少年国际篇》，睡觉。

十二月二十五日

烧还不退。

没办法，去附近的医生那儿拿了抗生素。听说流感正在蔓延。

什么都不想做，就在床上懒着。

但心里的某个地方，还在想着毫无进展的工作，急得不得了。这样的话起来干活不就得了，却又不想起来。

纵容我的人是我，紧逼我的人还是我。掉了点眼泪。

十二月二十六日

起床后发现感冒好了。

身体复原，消沉也自然痊愈。

去超市买食品。

十二月二十七日

世间的人们好像到今天工作就结束了，而我除了新年外，全年都是正常工作模式。

在年末年初工作并非是对世间的嘲讽，只不过大家在工作时我总是一个人晃晃悠悠去旅行，还经常患感冒病倒，所以“能工作的时候就必须要工作”，这种强迫性观念支配着我。

十二月三十日

忘年会之五。

和朋友饮酒到深夜。

酩酊大醉，坐着临近末班的空空如也的电车回公寓。年终岁尾，大家都回乡下了吗？觉得东京似乎比平时人少。

今年也结束了。多次旅行，搬了家，也添了新朋友，发过几次烧但不是大病，还算顺利的一年。

生日和圣诞节都是独自一人，但新年打算回老家和家人一起过。

如果有一天，老家的爸爸、妈妈还有猫咪都死掉的话，或许一个人过新年的日子也会来临，但相信那也一定有幸福之处。

我不是一个人在孤岛上生活。周围有能一起开心畅饮的朋友，有很多要和我一起做好书的热血编辑，我总是承蒙他们的帮助。

祈祷明年这样的日子还会继续。能和身边的人们拥有温暖的时间。

即便有一点点寂寞，也愿这自由安逸的每一天可以继续下去。

呆呆地想着想着，好像睡着了。在中野站，一个年轻女孩叫起了我："终点了。"

慌忙下到站台，看到叫醒我的茶色头发女孩穿着高跟靴子晃晃荡荡地走着，这孩子好像也醉得相当厉害。

真自由啊。什么都可以做，哪儿都能去，想到这儿我就高兴得一塌糊涂。

出了车站，在家旁边的超市买了肉包、牛奶还有明天早晨的面包回了家。

特别纪行随笔

Namaste *，久美子

八十一岁的印度和尼泊尔之旅

* Namaste，印度和尼泊尔的问候语，双手合十以表祝福和敬意，不仅用于见面也用于告别。

乘坐经由曼谷的印度航空公司的班机，我们于一九九八年三月二十五日深夜抵达了加尔各答机场。我和幻冬社的山口小姐是第一次来印度，而且就我们两人的旅行也是第一次，所以虽然机场比想象中更脏且气氛怪异，两人还很从容地美滋滋想着：这就是印度啊。

此次的北印度和尼泊尔八日之旅有两件事比较担忧。首先，我和山口身体都不够好，即便住在东京这个抗菌城市也经常会感冒和坏肚子，这样的两个人在印度身体不可能不出问题。不过，在这点上我们充分发挥日元的优势，选了入住五星级酒店的旅行团。加尔各答（夜行，火车上住一夜）→瓦拉纳西→加德满都→德里，行程很紧，但只要注意饮水，不在路边摊买东西吃，估计不会有危险。

但另一个担忧又产生了。此次参加的旅行团无论如何也称不上是全程导游陪同的豪华阵容，可毕竟是旅行团，时值春假，会不会有很多大学生什么的参加呢？很担心任性的我们能否和素不相识的人和睦相处。

带着对旅程的期待和不安，我们在略有些闷热、充满异样气味的加尔各答机场发现了前来迎接的当地导游。接下来，同行的游客什么样呢？我环顾四周，忽然被一位老奶奶紧紧握住了手。不是印

度人，比一米五四的我还要矮一头，很明显是一位日本奶奶。

“哎呀呀，能遇见你们真是太好了，报名时说这个旅行团如果就我一个人也许会取消，当听说东京有两位参加的时候我可放心了。我，真的什么都不懂，所以今后的八天就请多多关照了。”老奶奶一口气说了很多话，我和山口哑口无言，不明就里地被印度司机塞进了一辆小车。

从机场开往酒店的车上，比起汽车喇叭嘈杂的加尔各答之夜，这位老奶奶的话更让我们心惊胆战。她名叫久美子（真名），住在旭川，八十一岁。英语当然什么都不会（她连sugar是白糖都不知道），行李只有一个小背包和一个腰包，装扮是涤纶的上衣加劳动裤。几天后我们知道了，脱去这些，里面是白色的短袖衬衫和运动裤，热了和睡觉时她就会脱掉。内衣没有问，衣服好像只带来这些。

到达酒店后，我和山口来不及打开行李，先召开了紧急会议。

照相收钱的大象

第一次的二人旅行，竟要变成和八十一岁老奶奶的三人行！说实话我烦透了，她也苦恼地抱着头。但对方要是年轻人，我们还可以采取强硬态度：“自己的事情就该自己做，不要给人添麻烦！”可对手八十一岁，而且没有同行者，我们要是闹情绪，当地导游阿康（二十七岁，信仰伊斯兰教）也会很为难吧。苦恼不已的我们还有一线希望，那就是久美子说她实际上是第二次来印度。虽然怎么看都是农家老奶奶（她真的在旭川经营农业），但也许出乎我们意料，她已经习惯了旅行，而且看起来也不像坏人。事已至此，那就朝前看，尽情享受旅行吧。如此总结着，我们结束了这漫长的一天。

但第二天，我们不好的预感就全部命中。

也许并无恶意，但久美子的自说自话却无处不在。早饭的餐桌上（说是不知道该怎么弄所以和我们一起吃）、午饭的餐桌上、晚饭的餐桌上、车厢里、满是乞丐的迦梨女神庙里，不用怎样留意就

随处可以喝到的美味水果奶昔

不知为何插着吸管的可乐

可以听到久美子在谈论佛祖和她自己的人生。

与肆无忌惮地宣称没有宗教信仰、不懂战争的我们这代人不同，久美子是精力充沛的真言宗信徒。说起来，旅行前做功课时曾读过远藤周作的《深河》，书中提到，去印度旅行的典型日本人便是巡礼拜佛的老人。曾想这是真的吗？已没有了吧！没想到还真有，愈加感慨。

可就算令人感慨，为什么家人和旅行社不阻止她呢？至少该去导游全程陪同的团啊！心里气鼓鼓的，可“必须要善待老人”这一近乎强迫性的观念已烙在我们心上，所以表面上又不能对久美子那么凶。这一点似乎世界通用，导游阿康也被久美子那些离谱的问题弄得笑容僵硬。之后我们按照她的步调走路，一路照顾着她，哼哼哈哈应对她单方面的闲聊。

接下来要在这里作下总结。此次旅途中，一次也没坏肚子、一

点没发烧的只有久美子。住在五星酒店（但那算是什么五星呢），提防着水，当然也没有乱买东西吃，可我和山口还是轻而易举就被腹泻和发烧击倒。

而久美子每天早晨都泰然自若、一脸清爽，虽说刀叉用着笨拙，但端上来的不论是什么都转眼一扫而空。

热了啊冷了啊，马上要上厕所啊晕车啊，让印度人拿走了圆珠笔啊，定做旁遮普裙子啊，吵着闹着的是我和山口。而导游阿康从一开始就感冒，身体好像比我们还不好。结果是久美子一次都没抱怨过。不考虑她一开始明知会麻烦他人还来旅行这点，还是相当了不起的。

但只有一次，久美子像是在低声哀叹。那是当她得知此行的目的地——佛祖诞生地尼泊尔蓝毗尼去不了的时候。

要说久美子为何独自参加这个旅行团，就是因为行程里有加德

满都。也难怪，加德满都和蓝毗尼从地图上看感觉很近。但这和看日本地图时东京和名古屋很近是同样道理，事前不雇好导游和车，那可不是语言不通的八十一岁老奶奶一天能往返的距离。“蓝毗尼无论如何也去不成了。”我、山口还有阿康为了说服久美子花了好长时间。我内心极为焦躁：那么想去，一开始就让日本的旅行代理给安排一下多好。

之后，终于想通的久美子冒出的台词是这样的：

“那，我在尼泊尔做什么好呢……”

“我怎么知道。”这句话都到了嗓子眼，我又慌忙给咽了回去。不过，我们停留在瓦拉纳西期间，拜访了佛祖初转法轮的圣地鹿野苑，那时久美子似乎怎么看都有别于悠闲的日本观光客，所以被身披橙色棉布袈裟的僧侣单独请到了后院。之后等了约十五分钟，久美子从金色的佛像背后回来了，脸上是彻底的心满意足，听说在里

印度的狗很瘦

面得以一览普通人看不到的佛像，手腕上还被缠上了吉祥的丝线。

好，就是现在，我、山口还有阿康抓住机会夸张地鼓励久美子："不枉千里迢迢来到印度的瓦拉纳西啊，真是太好了。"久美子也鞠了好几次躬："托大家的福，实在是太感谢了。"久美子似乎就此对蓝毗尼死了心，大家都松了一口气。

但问题是在尼泊尔的一天半时间里，阿康只是印度境内的导游，在尼泊尔我们完全自由行动。山口小姐的朋友长年旅居加德满都，我们约好和他一起玩，就这点时间我们想从久美子那里解放出来。

但为了语言不通、没找导游、连出游指南都没带（倒是带来呀）的久美子，我们拼命帮她填着出入境登记卡（久美子连自己的名字都不会用字母写），帮她找了说日语的加德满都市内观光团。山口为久美子讲解酒店的用餐方法，没有一丝不悦，并写到纸上交给她。

啊，一想到我们现在在热心助人，我就觉得特别不痛快。根本

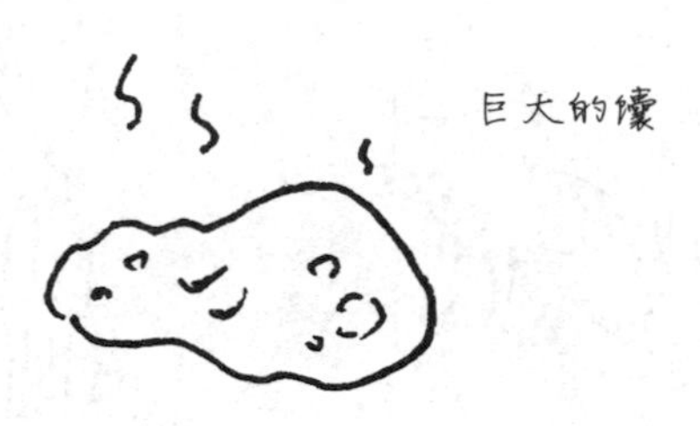

不想热心肠，却有个必须对她热心肠的人在这里。

如此在旅行期间，我们一路照顾着久美子，听久美子说着“托您的福”、“谢谢”，还有佛祖的教诲和人生的教训。

不知您能否想象到，在一点一滴的侵蚀下，最后我被拉进了久美子的世界。一面在心里念叨着“这个老太婆”，一面却被她的必杀技——东方按摩术（她曾是某个健康体操团的教练）弄得神魂颠倒。发着高烧的我在加德满都的酒店里，吃着她自制的咸梅子，感激之余不禁向她咨询起了人生的苦恼。

我有点抑郁的迹象，曾看过很多医生和进行心理咨询，这次身在异国再加上高烧（而且外面大雨倾盆），便向久美子倾吐了无论如何都纠结于心挥之不去的烦恼。结果久美子毫不胆怯，干脆地说：“你是对先祖的感恩不够吧。”

我心想“什么啊，这是”，不过被静静地在双人大床上正襟危坐、

卖纱丽的女孩

身穿运动服的老奶奶如此断言，一时也陷入了深思。心理咨询师绝对不会这么说吧。

“我觉得有些多事，所以一直都没说……”

久美子冷不防开了口。我眨了眨眼睛，什么事啊？她接着说道：

“晓美（我的本名）和美留子（山口的名字），一看你们俩就在咕咚咕咚喝水对吧，所以才会坏肚子。渴了，用盐水漱漱口就行。”

说着，久美子强行在我的矿泉水瓶里放入了从日本带来的粗盐，而且还让我吃了据说是从高野山得来的黑黑的仁丹似的药。

不知道是那盐和药真管用，还是心理作用，翌日清晨烧暂且退了，腹泻也好了些。

旅行要结束时，久美子要给我们钱，说是“一路太抱歉了”。但哪能收八十一岁老人的钱呢，但也许什么都不收的话，久美子心里又会过意不去吧。我们便拜托她在德里机场买明信片。

挨宰的念珠

挨宰的石榴石戒指

但机场却没有卖明信片的。想了想，在印度的土特产商店里也没见过。然后想起来，只有去景点时有奇怪的卖货少年和大叔来推销过。结果请久美子给山口买了红茶，给我买了印度产的香烟。久美子就像是给孙女买玩具一样，开心极了。

那次旅行的三个月后，住在旭川的久美子有一天忽然吮当寄来了一箱芦笋。我把山口请到家里,两个人煮芦笋炒芦笋开了芦笋宴，可还没吃上一半就饱了。看着余下的那么多捆翠绿的芦笋，我都够了。

“久美子葬礼的时候咱们俩去旭川吧，顺便转转北海道。”讲着不吉利的话，我们笑了。

四年后的我

二〇〇〇年春

四年后的我，为了清晨扔垃圾早睡早起

四月一日

八点起床。昨天稿子告一段落，今天起校对六月份将由集英社出版的文库本《无糖的爱情》的书稿。余暇时间收拾散乱的小东西和杂志，更换坏了近一个月没管的灯泡，扔掉圣诞节时别人给的大限将至的仙客来，把冬天的衣物送到干洗店，回来路上买了名叫绣球的白色盆花，又漂白了咖啡杯上的茶渍。普通人的一天，手弄得干巴巴的。

四月二日

早上开始洗衣服。今年起在内科拿了花粉症的处方药，这药非常管用，不过还是没勇气到外面去晒衣服。家里到处撑起横杆来晾。

校对文库本的书稿。接着整理房间。冰箱里空空荡荡，去超市采购。

天一黑不知为何心情郁闷起来。现在情绪不稳定的时候比以前少了许多，但有时还会这样。能想到的原因也就是几天前笔记本电脑坏了而已。我用电脑已近三年历史，其间坏过多少次呢。方便、有

趣却信不过的家伙，臭电脑！

四月三日

八点起床，扔不可燃垃圾。校对文库本的书稿。下午去交这个春天开始听的早稻田大学公开讲座的学费，银行特别拥挤。这才发觉今天是四月份的第一个星期一[①]。早稻田大学正门前人头攒动，社团也在招新，可我再怎么往年轻里打扮，也不会被误认为学生，没人递上传单，有些孤单。

在早稻田大学附近的丽嘉皇家酒店与集英社文库的小山田小姐商量文库本封面。之后，接受 Magazine House 出版社的杂志《鸽子！》采访。记者曾有过一面之缘，所以这次没怎么紧张，说是会帮我刊登这个月即将出版的随笔《结婚愿望》的照片，很是感谢。

回到家筋疲力尽，仍是一见人就累。

四月四日

七点起床，扔可燃垃圾。上午赶紧校对完今天份量的文库本书稿后，把整个房间用吸尘器吸了一遍。今天父母要从横滨过来

①在日本，学校多在四月初开始新学年。

赏樱花，顺便来家里。在约好的江户川桥会合，一看哥哥也来了。哥哥是高中老师，说是还在休春假。很久没有一家四口聚在一起了，有点羞愧。樱花才开了八分。在神田川河畔循着樱花溜溜达达绕了一大圈到了我家。哥哥和爸爸对我的电脑兴趣盎然，浏览网页玩。

晚饭在附近的椿山庄吃了中华药膳。点的是最少量的套餐，可大家还是吃得太饱，有些难受，一个个都感叹“到岁数了”。我家的老龄化有条不紊进行中。爸爸和哥哥明天要上班所以回去了，妈妈在家里住下。爸爸退休将近，大家都有些感伤。

四月五日

十一点起床。不知是不是因为妈妈住在这儿就进入了女儿模式，竟睡起懒觉来。慌忙做了早饭给妈妈吃（妈妈虽说起得早但不会连早饭都给我做），冒雨把她送到地铁站。

和妈妈告别，一个人来到新宿，去了友都八喜[①]。没空拿笔记本电脑去修，所以决定买台一直就想要的B5大小的笔记本电脑。在人潮拥挤的友都八喜抓住店员一问，我想要的机型缺货，但第二想要的库里有货，当即决定买下。大雨中打车回家。

回到家，一大堆必须要做的琐碎工作不知该从哪里下手。最近就像这样有时精神会超出负荷。先校对了今天份量的文库本书稿，

---

①友都八喜，日本大型电器连锁店。

回完传真和邮件已经十点。决定明天再打开电脑包装箱。

四月六日

又是早上开始洗衣服。校对今天该校的文库本书稿。收拾凌乱不堪的工作间。有人打来了电话，又回复传真，这时幻冬社的山口小姐打来电话说，她已经到了约好的丽嘉皇家酒店，慌忙外出。

商量了今后的工作，聊了下彼此的近况，一转眼两个小时过去。回到家，处理着各种琐事就到了夜里。晚上很晚不睡的话早上就起不来，早上起不来情绪又多会摇摆不定，所以几年前起便努力早睡早起，况且不早起就扔不了垃圾。今天也没开电脑包装箱，睡觉。

四月七日

八点起床，扔垃圾。做鸡蛋菜粥吃，校对文库本书稿，又打扫完房间，终于要打开新的臭电脑的箱子了。诸事顺利，启动、各种软件安装、连接完打印机。这些对于我这个电脑三岁幼童纯属例外。难道长到四岁了？我太厉害了！（说来或许是如今的电脑厉害。）

比预计完成得早，所以一个人跑去神田川河畔看樱花。樱花盛开，平时几乎没有人的步行街熙熙攘攘。

四月八日

七点起床，扔可回收垃圾。上午开始一直校对文库本书稿，傍晚完成。去干洗店和超市。

四月九日

八点起床。用快递寄出了文库本书稿，整理要提交给报税师的这三个月的文件。

四月十日

早晨六点半让地震弄醒了，三级地震。以前住在中野的简易公寓，那房子实在像能在地震中倒塌的模样，现在住的高级公寓倒似乎很结实（看起来），稍稍安心。

写了篇登在《小说昴》上的短评。

晚上，《小说现代》的金田先生寄来了摩托快递。之前在《小说现代》上刊载过短篇《涡虫》，那幅扉页图十分漂亮，很合我的心思，便说了句“能不能送我啊”，结果创作这幅画的井筒启之先生竟装裱好寄了来。很是过意不去，但太开心了，立马挂到墙上。

四月十一日

八点起床，慌忙去扔可燃垃圾，结果已经收完了。东京现在好像都改为清晨收垃圾。拿着两袋子垃圾正不知所措，发现收集车就在街道对面！“等一等！”追过去时车竟停了下来。这时同一栋公寓里又跑出来两个人，收集垃圾的大叔笑着接过袋子。

回复邮件和传真，提交给报税师的文件总算齐了。

傍晚接受杂志《达·芬奇》的采访，连带宣传新书《结婚愿望》。之后和记者温水小姐(为文库本《沉睡的长发公主》写书评的那位)、编辑稻子小姐略饮了一杯。我和温水小姐不过是很久没见想喝一杯，却不小心让《达·芬奇》请了客。

温水小姐是为数不多的让我崇拜的大姐。单身、不做作、豪爽，却能写出细腻的文字，真帅。吸喜力烟时的样子像木匠师傅一样，又好帅。我要了一支试吸了一下，马上吭吭地咳嗽。吸这么冲的烟还能如此健康，还是很帅。

四年前，一瓶葡萄酒很轻松就能喝完，然而不知何时起三杯已是极限。岂止这些，喝酒次数本身也少了，也不再那么想喝了。从没想过在自己的人生中，酒的地位会下降这么多。

四月十五日

写完了幻冬社的宣传杂志《星星峡》上连载的第一稿。一大堆琐事，觉得有些累。

四月十六日

六点半起床。发现只有今天上午有时间去美容院，于是早上九点去美容院剪头发、染颜色。明天有采访，所以收拾了一下两个月没管的乱蓬蓬的头发。

傍晚修改《星星峡》的稿子时，想到今后有太多的事要做，又有太多的事要和人见面，考虑着如何安排时陷入了轻微的慌乱，哭了起来。

满满的满满的我。

到了晚上，稿子完成。大哭也好，痛苦也罢，只要稿子写完，马上就会精神百倍。

四月十七日

六点半起床，扔不可燃垃圾。上午，把昨天写的稿子又重新读了一遍，发传真。

下午来到山之上酒店，接受宝岛社的杂志《这本文库本了不起！》的采访。今年会出版很多文库本，所以很感谢能有这次采访，但连着说了两个半小时后筋疲力尽。回了一趟家又去丽嘉皇家酒店，从角川书店的堀内先生那儿拿到四月末要出版的文库本《樱花》的样书，之后在附近的和食屋同讲谈社的须藤先生和金田先生吃饭。理所当然聊的是工作。老老实实地谈了自己今后十五年的人生规划。

四月十八日

八点起床，慌忙去扔可燃垃圾。昨天见了那么多人，今天早上起来就筋疲力尽。下午听说新书《结婚愿望》的样书出来了，去三笠书房（离家很近）给五十册书签名。这五十册要寄到神户海文堂书店，那里要举办“山本文绪作品展”。

四月十九日

上午，收拾凌乱不堪的工作间。又是一大堆的工作，不知该从哪儿下手。按照优先次序一条条写出来。只能一件一件地干。

四月二十日

下雨的一天，寒意阵阵。明天起要去神户五天，整理行李。

不知何时起海外旅行的热情降温，去年和今年都是国内旅行。

四月二十一日

六点半起床，扔可燃垃圾。冒雨去了三年来每月都会拜访一次的心理诊疗内科，拿了一直拿的药，前往东京站坐新干线。吃了便当，听了会儿随身听就到了神户。神户也在下雨。

在网上结识的女孩优生到车站来接我，她的工作是制作神户的地方杂志《Recipe》。办完酒店入住手续，草草喝了杯茶就来到街上，与那家地方杂志的女孩子们会合，吃饭喝酒。所有人都见过一面，既轻松又开心。回到酒店后昏睡。

四月二十二日

七点起床。本来今天想睡多久都可以。或许因为睡得沉，醒来感觉很清爽。

很久没有这种“休息”的感觉了。从酒店高层向下俯视，神户港延绵开去，美极了。偶尔离开东京，果然有种解放感。

下午三点，去优生的朋友——一位占卜师家拜访。这也是来神户的目的之一。以前也听过一些传闻，比如此人很奇怪啊、会摄人魂魄啊等等，但见面一看，是位很正经的美女姐姐。

美女姐姐告诉了我一见人第二天就筋疲力尽的原因。她说我总是“装着开朗，装着不放在心上，装着和蔼可亲”（这是因为内心很脆弱），所以一见人就很疲惫，之后大脑中会分泌像大麻一样的镇静剂物质，人就会困。这次除了给自己算命，更多是问她对算命的看法，学到了很多东西。

和优生会合，去拜访海文堂书店“山本文绪作品展”的主办者福冈先生。

东京和其他地方也有书店帮我办过书展，我却很少到现场。这次因为和优生的工作有关，而且在网上也与福冈先生相识，所以决定过去看看。

网络上感觉不出年龄，见到福冈先生一看，已是位成熟的男士。关店后，和书店的诸位合影留念。

之后，和海文堂的岛田社长（据说是神户的文化名人）、福冈先生、负责儿童图书的田中小姐还有优生五个人吃饭。和很多人都是初次见面，有点紧张。不过得知田中小姐和我同岁，两人有很多共同话题，开心。

要去下一家喝酒时，社长逃掉了，我们去了元町的酒吧。福冈先生喝了些酒，样子终于放松下来，摘下眼镜很像棒球选手铃木一郎。

开心地喝了很多酒，很久没这么喝了。回到酒店，昏睡。

四月二十三日

今天是真正“休息”的一天。

向客房服务要了餐，在酒店房间里无所事事。

下午，去了优生推荐的按摩店，脖子、肩膀和后背都好好按了一通，轻松了很多。

在东亚路闲转，一眼就相中了印有大象图案的餐具（据说是巴黎酒店特有的），因为是半价特卖，所以一冲动买了茶壶、杯子和托盘。消费模式就此点燃，在大丸买了墨镜和戒指，袜子和长筒袜也各买了几双（平时很难有时间去买），还买了便当。

回到酒店吃便当，边看带来的《小说昴》边泡半身浴，做了很久没做的面膜，剪了脚指甲，重新涂了指甲油。

从窗户望去，观光车上的灯饰像焰火一样不断变换着颜色，呆呆地看着看着，睡着了。

四月二十四日

尽管是周一，优生还是为我请了假，两个人一起去须磨海滨水族园。我们俩都特别喜欢水族馆，感觉见面就该去水族馆。

在一家还要买餐券的怀旧食堂，我就工作和人际关系中的一些事对她进行了采访，这也是此行的目的之一。

在礼物店里一番犹豫后，买了巨大的鳐鱼玩偶。

晚上又约了优生和福冈先生吃饭喝酒。

此次神户之行占用了这二位太多时间，很是抱歉。但玩得非常开心。福冈先生送了我阪神老虎队八连胜时的体育报，说是当作纪念。

四月二十五日

六点半起床，洗澡后整理行李。必须回到现实。

坐上午的新干线，下午三点到达东京自己家。

收到数量巨大的信件、传真和电子邮件，头晕。

四月二十七日

父亲忽然召集全家人："在我退休前大家一起吃顿河豚吧。"但妈妈不爱吃，缺席。爸爸、哥哥、嫂子和我四个人在日本桥吃了河豚。爸爸难得兴致盎然地聊起了年轻时和妈妈一起登山的事。

说起来，第一次吃河豚还是在写这本书原稿的一九九六年。那以后，出版社又请我吃了几次，但家人一起吃还是第一次。没有紧张感，集中精力吃河豚。

四月二十八日

幻冬社的山口来家里商量把这本书变成文库本，顺便还商量点别的事。工作还有将来的一些事，都请她帮我参谋了一下。

去附近的咖啡店吃咖喱饭，怀念地聊着两个人一起去印度旅行的事，异口同声说：“还想见见久美子啊。”

傍晚男朋友来玩，去了附近一家关东煮店。河豚也好，关东煮也好，无视季节感的饮食生活。

四月二十九日

天气不错所以大扫除。花粉似乎也差不多没了，久违地把衣服拿到外面晾。床单也换了，很清爽。

江国香织的《蔷薇树 枇杷树 柠檬树》读完。接着读请朋友寄来的作品，朋友应征文艺杂志《群像》的新人奖，通过了复赛。说实话，每一篇都很有趣。

四月三十日

七点起来一次，总觉得困，在沙发上又睡了。下午，粗读这本书的原稿。现在比那时确确实实长了四岁，不知何时起已不再感冒也不再发烧，又得了文学奖，搬到了比以前更大的房子，觉得变老也许不是件坏事。

不过最近很难去健身或看场电影，想读的书也是资料优先，无法尽情阅读。总是像被什么追着赶着，心情悠然的时候越来越少。

再过四年，我会是什么样子？一想到将来，仍然尽是不安。

再不能那么喝酒，也再不能熬夜，但再也不会让圣诞红枯萎。今后，会失去什么又会得到什么呢？似乎期待着，又似乎恐惧着。

然后，我不再喝酒

我四十五岁了。开始写这个单行本时是三十三岁，也就是说十二生肖已转了一轮。

十二年的岁月，已足以让这个世界发生巨变。日本的首相更换了许多届，各国令人愕然的恐怖事件频发，油价飞涨，股价暴跌，地球发起了烧，吱吱地融着北极的冰。

日本的晚婚化趋势不仅出现在女性身上，也波及了男性，没结婚就步入中老年的人越来越多，而对此在背后指手画脚的则越来越少。专职主妇在如今甚至被称作只靠丈夫的收入就能生活下去的富裕阶层。

无法成为正式职员的不安、工资削减的不安、对成果主义的不安、对裁员的不安、再也指望不上退休金的不安、对福利的不安。大人也好孩子也好，为了不被人欺负，看着别人的脸色生活。媒体上关于抑郁症对策的特辑引人关注。

本书是在即将跨入如此世界之前写下的日记。

一九九六年的我，处在暴风雨前的静谧里。

不知是该归因于时代，还是我个人的脆弱，在卷末二〇〇〇年四月的日记里，我似乎就已被逼得无处可逃。当时我一切以工作为先，为了回应期待忘我努力。谁的期待呢？到现在我也不是很明白。是文坛这个暧昧模糊的存在吗，是责任编辑吗，是诸位读者吗，还是我自己给自己布置的任务呢？总之极度不安。假如工作能做出成就，假如能拿到再不愁吃饭（或许）的文学大奖，假如能出本畅销书，我深信就能消除这份不安。

之后，我姑且达成了目标，渴望得太阳穴血管都要裂开的文学奖到了手。然而，在这个过程中我酒量激增，给身边的人添了很多麻烦。接着下一年我再婚了，也许是之前生活安排得太过紧张，身心的疲劳蜂拥而出，结果我患上了所谓的“抑郁症”，不能再写稿。无法工作，也就意味着作家身份的瓦解。

那以后的事在随笔《再婚生活》中有详述，在此就不表了。恢复到能勉强写点像样的小说，我竟花了五年多。

有时有些采访会问：“让人知道你得过抑郁症，你没觉得不好意思吗？”这的确是不能挺胸昂首公之于众的事，不过，在停工期间我还有比这更丢人的经历。

这还是第一次把这段经历诉诸文字。二〇〇五年的春天，我做了胆囊摘除手术。之前腹部正中剧痛难忍，去医院后发现胆囊肿大，胆结石已像座小山一样，当即紧急住院。胆结石和胆囊手术本身据说并不稀奇，但我是一直任其发展，才导致病情如此严重。医生给陪我做手术的妈妈看了摘除的胆囊。听说巧克力豆大小的胆结石堵住了胆囊入口，胆囊内部也密密麻麻塞满了无数大大小小的胆结石，呈现出不吉利的灰色。据医生说，由于长年大量饮酒和油脂的过量摄入，胆囊为了守护其前方的肝脏，结果成了这样。

我埋着头，连耳根都通红，在家人面前勉强笑着，心里却想没有比这更丢脸的事了。虽然抑郁症造成的饮食无节制也是原因之一，但这次自己的所作所为被人直接清清楚楚摆在了面前，我觉得羞愧难当。摄入的全是高热量的食物，几乎不吃青菜，葡萄酒和日本酒不看价格就大口大口地喝下，嘴里说着已经再也吃不下了还是扫平了甜点。为了这种饱食和矫饰的生活，我付出的代价，就是失去了一个器官。

接下来我忽然不能喝酒了，身体完全接受不了。半杯啤酒也喝不下，葡萄酒两口就是极限。我愕然。高兴也好悲伤也罢，酒喝到现在，我一下子成了不会喝酒的人。虽说愕然，但安心感不久一点一点涌了上来。

啊，不喝就算了，不知为何我如此想。您可以嗤之以鼻，说我逞强。但和那么喜爱的酒文化分开，我却毫无眷恋。

也不知何时起，工作不再是身份认同。并非是不安消失了，只不过那种必须要用什么来排解的原形不明的巨大东西，我现在已不再惧怕。

无节制的饮食生活所产生的精神压力，让身体和心灵都空空如也之后，现在自己终于蹒跚地踏上了后半程的人生。人生的后半程，似乎是为前半程埋单的时间。

一九九六年那段年轻、充满希望、对一个人的生活很是新鲜的时光再也回不去了，但还有一点我发现没有改变。

这就是小说，是工作又不是工作，无论在物质上还是精神上，都是我赖以生存的食粮。

我想挖的井在这儿，我想磨的石头是这块，我最后的归宿在这里。这点我现在也深信不疑，也许永远都不会改变。

最后，深深地感谢帮我出了一系列角川丛书的郡司珠子小姐，出单行本时包容我的任性的酒卷良江小姐，还有印度旅行时为我留下许多美好回忆的山口美留子小姐。

二〇〇七年晚秋

图书在版编目(CIP)数据

然后，我就一个人了／〔日〕山本文绪著；李洁译.
—海口：南海出版公司，2013.1
ISBN 978-7-5442-5282-9

Ⅰ.①然… Ⅱ.①山…②李… Ⅲ.①短篇小说—小
说集—日本—现代 Ⅳ.①I313.45

中国版本图书馆CIP数据核字(2011)第228033号

著作权合同登记号 图字：30-2011-126

然后，我就一个人了
〔日〕山本文绪 著
李洁 译

出　版　南海出版公司　(0898)66568511
　　　　海口市海秀中路51号星华大厦五楼　邮编 570206
发　行　新经典文化有限公司
　　　　电话(010)68423599　邮箱 editor@readinglife.com
经　销　新华书店

责任编辑　翟明明
特邀编辑　朱文婷
装帧设计　韩　笑
内文制作　王春雪

印　刷　三河市三佳印刷装订有限公司
开　本　850毫米×1168毫米　1/32
印　张　6.25
字　数　128千
版　次　2013年1月第1版
印　次　2013年1月第1次印刷
书　号　ISBN 978-7-5442-5282-9
定　价　25.00元